欢迎来中国

中国へようこそ

天壇

中国の皇帝は天帝の信認を得て統治が許されるとされた。その天帝を祀る場所で、明の永楽帝が建立したと言われる。北京市。

パンダ

四川省のジャイアントパンダ保護区。中国語でジャイアントパンダは大熊猫。30%以上がこの地に生息する。

バザール

新疆ウイグル自治区。イスラム教徒が営むナンを売る店。

ヤムドク湖

標高4441メートルにあり、その澄み切った碧い湖面は神秘的。チベットの三大聖湖のひとつ。

世界遺産

麗江古城
僻遠の雲南の地、標高2400メートルにある世界遺産の町。12世紀に少数民族のナシ族によって建設された。

莫高窟の九層楼
4世紀から1千年にわたって掘られた仏教芸術の聖地。石窟は492ある。九層楼は35.6メートルの弥勒仏座像を納める。

ポタラ宮
チベットのラサにあるダライラマの王宮。金箔で覆われた歴代ダライラマの霊廟がある。宮殿の最上階は富士山とほぼ同じ標高。

天安門
北京のシンボルで、紫禁城（故宮）の正門。この門の楼上から毛沢東が中華人民共和国の建国を宣言したことはあまりにも有名。

万里の長城

北方民族の匈奴の侵入を防ぐために秦代に建造された。明代に拡張され、総延長は6千キロを超える。

龍門石窟

河南省・洛陽の南13キロ、断崖絶壁に沿って2100以上の石窟や石がんが掘られ、約10万体の仏像が安置されている。

獅子林

蘇州にある世界遺産の古典庭園。太湖産の奇石と池で構成されている。元時代の造園。

自然

桂林

山紫水明という言葉がぴったりの中国有数の景勝地。仙人が住んでいそうな林立する山々を眺めながら、川下りを楽しむことができる。

石林
2億7千万年前の海底が隆起、16平方キロにわたって奇岩が林立する。雲南省・昆明の南方80キロにある。

新疆火炎山
タリム盆地の北部、トルファン東部にある丘陵。砂岩が浸食してできた赤い地肌に炎のような模様が刻まれている。

月牙泉
甘粛省・敦煌の近郊。砂漠地帯に忽然と現れる三日月型のオアシス。水は何千年も前から絶えることなくわき出ている。

九寨溝
大小100以上の湖沼が連なる四川省北部にある自然保護区。澄み切った独特の青い水が多くの観光客を引きつける。

北京 vs. 上海

京劇
歌唱、セリフ、しぐさ、立ち回りを融合させた総合的な演劇。清代に北京で発達した。「覇王別姫」など、歴史を題材にした演目は日本人にも親しみやすい。

胡同
胡同（フートン）とは北京に点在する路地のこと。伝統的家屋建築の四合院が胡同に面して建てられていて、古い北京の面影をしのばせる。

前門大街
ひと昔前の北京随一の繁華街。今でも伝統工芸品や漢方薬、チャイナドレスを売る老舗が軒を連ねる。

浦東の金融街
上海の黄浦江の東岸にある陸家嘴と呼ばれる金融街。独特な形状の高層ビルが林立し、未来都市を思わせる。

ジャズバンド
外灘にある和平飯店のジャズバーで演奏するオールド・ジャズバンド。スタンダードナンバーをリクエストできる。

ワイタン
黄浦江の西岸は外灘（ワイタン）と呼ばれる租界時代の行政・経済の中心地。今は有名ブランドやレトロシックなレストランが軒を連ねる。

田子坊
迷路のような路地に、アートショップ、ブティック、飲食店が密集する。古い住宅を改装して店舗にしていて、レトロ感もたっぷり。

食べる

北京ダック

アヒルをまるごと焼く料理。薄餅（バオビン）と呼ばれる皮に、ネギやキュウリ、甜麺醤と一緒に包んで食べる。

蟹みそ小籠包

上海蟹の蟹みそを包んだ小籠包。上海豫園の名物としておなじみ。

麻婆豆腐

本場はやはり四川省。日本のものとは比べものにならないくらい辛いので覚悟して食すべし。

月餅

お土産の定番。中国では中秋節の贈答品として欠かせない。満月の形をしたお菓子は円満・完ぺきを象徴する。

写真提供：中国政府観光局／Fotolia

ミニフレーズと単語を使って 楽しい中国旅行を!!

中国語ができない人も、短いフレーズと単語でコミュニケーションをとって中国旅行を満喫する。本書はそんなコンセプトでつくられた一冊です。

まず、「出発 24 時間前編」で、中国語とその発音についての知識を簡単に知ってから、「基本 10 フレーズ」を覚えるようにしましょう。この 10 フレーズが中国旅行のさまざまな場面で大活躍します。

「場面別会話編」では、さまざまな旅行の場面に必須の「基本フレーズ+単語」を紹介します。基本フレーズに単語を組み込めば、必要なことがしっかり話せるようになります。また、旅行の各シーンでよく使う「定番フレーズ」もまとめて収録しています。

フレーズや単語は必ずしも覚える必要はありません。どこにどんな内容があるのかを押さえて、必要なときにぱっと見つかるようにしておきましょう。

すべてのフレーズと単語には、中国語の発音(「拼音」ピンイン)とカタカナが併記されています。カタカナはピンインの読みをスムーズにできるようにするための補助的な役割です。両方を参考にして発音すると、より伝わりやすくなるでしょう。どうしても伝わらないときには、この本を見せれば OK です。

皆さんが本書をお伴に、素敵な中国旅行をされることを願っています。

著者

CONTENTS

本書の使い方

本書は､｢出発 24 時間前編｣｢場面別会話編｣｢単語編｣の 3 部構成になっています。

1）出発24時間前編

本編を始める前に、「基本の 10 フレーズ」を紹介します。各フレーズについて 5 つの例文を載せています。この例文は､**「日本語→中国語」**の順で CD-1 に収録されているので、音声に続いてくり返し練習してみましょう。出発 24 時間前でも間に合いますが、余裕のある人は 1 週間くらい前から練習すると効果的でしょう。

CD-1 にはほかに、「常用フレーズ」「定番応答フレーズ」「疑問代詞」「知っておくと便利な表現」も収録されています。

2）場面別会話編「基本フレーズ+単語」

中国旅行のシチュエーションを､｢機内･空港｣「宿泊」「食事」「買い物」「観光」「トラブル」の 6 つに分け、各シチュエーションの基本単語を精選して収録しました。どの単語も基本フレーズと組み合わせて使えるようになっています。

> CD-1 と CD-2 の前半に、「場面別会話編」の「フレーズ」「言い換え単語」「定番フレーズ」「イラスト単語」が**「日本語→中国語」**の順に収録されています。

3）単語編「すぐに使える旅単語集500」

中国旅行でよく使う単語を巻末にまとめました。単語は旅行のシチュエーション別に分かれているので、旅先で知らない単語を引くのに便利です。

> CD-2 の後半には「すぐに使える旅単語集 500」が**「日本語→中国語→中国語」**の順に収録してあります。※中国語は 2 回流れます。

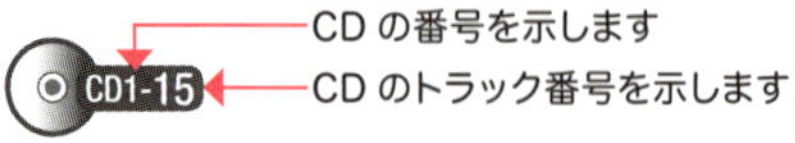
CD の番号を示します
CD1-15
CD のトラック番号を示します

●発音表記について

フレーズ、単語にはピンインとカタカナが付いています。

中国語の基礎知識

中国語の漢字

現在、中国本土で使用されている漢字は日本語の漢字と同じものもあれば、少し違うものもあり、日本語にない漢字もあります。同じ漢字でも、中国語は「簡体字」という簡略化された漢字を使うので、最初は少し難しく感じられるかもしれません。

日本語と中国語の漢字の違いは、部首の違いがほとんどです。日本語と簡体字の部首を一致させられれば、使える単語はぐんと増えます。

（日本語の漢字）	（中国語の簡体字）
語	语
飯	饭
紙	纸
問	问
銭	钱
見	见

発音のしかた

本書のフレーズや単語の漢字の上に付いているローマ字は「拼音」（ピンイン）と言い、日本語のふりがなのようなものです。

発音のしかたは、漢字の下に付いているカタカナを参考にしながらローマ字のように発音すれば大丈夫です。なお、「**Q**」は「チ」と発音するので注意してください。

声調について

ピンインの上にある棒線は「声調」と言い、イントネーションを表します。実はこの声調はとても大切で、ローマ字の読みが多少間違っていてもこの声調がきちんとできれば通じることもあるので、ぜひ要領を知っておきましょう。

声調は1声、2声、3声、4声と軽声があります。

CD1-1

1声

声を高い位置で始めてキープします。この1声の高さが他の声調の基準になります。

qī 七　bā 八　sān 三　kā fēi 咖啡

2声

低く始めて、高く上げます。いきなり上げるのではなく、少し力をためて、助走をつけるようなイメージで発音するのがコツです。

shí 十　líng 〇　qián 钱　yín háng 银行

3声

声を低く抑えながら発音をします。決して上げようとしないでください。

wǔ 五　jiǔ 九　wǒ 我　nǐ hǎo 你好

4声

カラスの鳴き声のように、声の高さを思い切り急降下させて発音しましょう。

sì 四　liù 六　kàn 看　zài jiàn 再见

軽声

声調の表記がないのが軽声です。軽く短く発音します。軽声の前にある文字をほんの少し長めに発音するのがコツです。

ma 吗　xiè xie 谢谢　shén me 什么

その他の注意点

中国語では、相手に何かを聞く疑問文でも語尾を上げません。また、主語の「私」を表す「我」、「あなた」を表す「你」をなるべく省略しないように気をつけましょう。

出発24時間前編

基本の10フレーズ

定番表現と基本知識を
まとめてチェック！

基本の10フレーズ

CD1-2

1 ～をください。

Wǒ yào
我要～。
[ウオ　ヤオ]

有料・無料を問わず、レストランで注文したり、お店で自分の要望を伝えたりするフレーズです。シンプルで、使う場面も多いです。「我要＋ほしいもの」という形になります。

言ってみましょう

これをください。
Wǒ yào zhèi ge
我要这个。
[ウオ　ヤオ　ヂェイ　ガ]

1つください。
Wǒ yào yí ge
我要一个。
[ウオ　ヤオ　イー　ガ]

コーヒーをください。
Wǒ yào kā fēi
我要咖啡。
[ウオ　ヤオ　カー　フェイ]

このセットメニューをください。
Wǒ yào zhèi ge tào cān
我要这个套餐。
[ウオ　ヤオ　ヂェイ　ガ　タオ　ツァン]

入場券を１枚ください。
Wǒ yào yì zhāng mén piào
我要一张门票。
[ウオ　ヤオ　イー　ヂャン　メン　ピィアオ]

CD1-3

2 ～をしたいです。

Wǒ xiǎng
我想～。
[ウオ シィアン]

自分のしたいことを相手に伝える表現です。「我想＋したいこと」という形になります。

言ってみましょう

お土産を買いたいです。

Wǒ xiǎng mǎi lǐ pǐn
我想买礼品。
[ウオ シィアン マイ リー ピィン]

これを見たいです。

Wǒ xiǎng kàn zhèi ge
我想看这个。
[ウオ シィアン カン ヂェイ ガ]

肉まんを食べたいです。

Wǒ xiǎng chī bāo zi
我想吃包子。
[ウオ シィアン チー バオ ヅ]

王府井に行きたいです。

Wǒ xiǎng qù Wáng fǔ jǐng
我想去王府井。
[ウオ シィアン チュイ ウアン フゥー ヂィン]

しばらく休みたいです。

Wǒ xiǎng xiū xi yí huìr
我想休息一会儿。
[ウオ シィアン シィウ シ イー ホゥアル]

CD1-4

3 ～してもいいですか。

Qǐng wèn kě yǐ ma
请问，可以～吗？
[チィン ウエン カー イー マ]

自分のしたいことについて、相手に許可を求める表現です。「请问」（ちょっとおたずねしますが）は、相手に何かを聞くときに文頭に付ける丁寧な言い方です。

言ってみましょう

携帯電話を使ってもいいですか。
Qǐng wèn kě yǐ yòng shǒu jī ma
请问，可以用手机吗？
[チィン ウエン カー イー イヨン シォウ ヂー マ]

試してみてもいいですか。
Qǐng wèn kě yǐ shì yí xià ma
请问，可以试一下吗？
[チィン ウエン カー イー シー イー シィア マ]

写真を撮ってもいいですか。
Qǐng wèn kě yǐ pāi zhào ma
请问，可以拍照吗？
[チィン ウエン カー イー パイ ヂャオ マ]

カードを使ってもいいですか。
Qǐng wèn kě yǐ shuā kǎ ma
请问，可以刷卡吗？
[チィン ウエン カー イー シゥア カー マ]

ここに座ってもいいですか。
Qǐng wèn kě yǐ zuò zài zhèr ma
请问，可以坐在这儿吗？
[チィン ウエン カー イー ヅゥオ ヅァイ チェール マ]

CD1-5

4 ～をいただけますか。

Qǐng gěi wǒ ～ hǎo ma

请给我～好吗？

[チィン ゲイ ウオ ハオ マ]

無料のものを手に入れたいときに使うフレーズです。文末に「好吗」を付け加えることで、口調が和らぎます。

言ってみましょう

レシートをいただけますか。

Qǐng gěi wǒ fā piào hǎo ma

请给我发票好吗？

[チィン ゲイ ウオ ファーピィアオ ハオ マ]

メニューをいただけますか。

Qǐng gěi wǒ cài pǔ hǎo ma

请给我菜谱好吗？

[チィン ゲイ ウオ ツァイ プゥー ハオ マ]

観光地図をいただけますか。

Qǐng gěi wǒ dǎo yóu tú hǎo ma

请给我导游图好吗？

[チィン ゲイ ウオ ダオ イオウ トゥー ハオ マ]

ビニール袋をいただけますか。

Qǐng gěi wǒ sù liào dài hǎo ma

请给我塑料袋好吗？

[チィン ゲイ ウオ スゥーリィアオ ダイ ハオ マ]

お皿を1ついただけますか。

Qǐng gěi wǒ yí ge xiǎo pánr hǎo ma

请给我一个小盘儿好吗？

[チィン ゲイ ウオ イー ガ シィアオ パール ハオ マ]

CD1-6

5 ～はありますか。

Qǐng wèn　yǒu ～ ma
请问，有～吗？
[チィン ウエン　イオウ　マ]

お店などで、自分が求めるものが置いてあるかどうかをたずねるときの表現です。

言ってみましょう

餃子はありますか。
Qǐng wèn, yǒu jiǎo zi ma
请问，有饺子吗？
[チィン ウエン　イオウ ディアオ　ヅ　マ]

観光地図はありますか。
Qǐng wèn, yǒu dǎo yóu tú ma
请问，有导游图吗？
[チィン ウエン　イオウ　ダオ　イオウ　トゥー　マ]

ハガキはありますか。
Qǐng wèn, yǒu míng xìn piàn ma
请问，有明信片吗？
[チィン ウエン　イオウ　ミィン　シィン　ピィエン　マ]

茶色のものはありますか。
Qǐng wèn, yǒu zōng sè de ma
请问，有棕色的吗？
[チィン ウエン　イオウ　ヅゥン　スァ　ダ　マ]

少し大きいサイズのものはありますか。
Qǐng wèn, yǒu dà yí hào de ma
请问，有大一号的吗？
[チィン ウエン　イオウ　ダー　イー　ハオ　ダ　マ]

CD1-7

6 このあたりに～はありますか。

Qǐng wèn fù jìn yǒu ~ ma
请问，附近有～吗？
[チィン ウエン フウー ヂン イオウ マ]

近くにお店や施設などがあるかどうかをたずねる表現です。フレーズ５の「请问，有～吗？」に「附近」（このあたり）を加えたフレーズです。

言ってみましょう

このあたりにコンビニはありますか。
Qǐng wèn, fù jìn yǒu biàn lì diàn ma
请问，附近有便利店吗？
[チィン ウエン フウー ヂン イオウ ビィエン リー ディエン マ]

このあたりに郵便局はありますか。
Qǐng wèn, fù jìn yǒu yóu jú ma
请问，附近有邮局吗？
[チィン ウエン フウー ヂン イオウ イオウ ヂュイ マ]

このあたりに銀行はありますか。
Qǐng wèn, fù jìn yǒu yín háng ma
请问，附近有银行吗？
[チィン ウエン フウー ヂン イオウ イン ハン マ]

このあたりに地下鉄の駅はありますか。
Qǐng wèn, fù jìn yǒu dì tiě zhàn ma
请问，附近有地铁站吗？
[チィン ウエン フウー ヂン イオウ ディー ティエ ヂャン マ]

このあたりに病院はありますか。
Qǐng wèn, fù jìn yǒu yī yuàn ma
请问，附近有医院吗？
[チィン ウエン フウー ヂン イオウ イー ユアン マ]

CD1-8

7 ～はどこですか

Qǐng wèn　　　zài　nǎr
请问，～在哪儿？
[チィン ウエン　　　ヅァイ　ナール]

自分が行きたい場所や施設などがどこにあるかをたずねるフレーズです。緊急時にも欠かせない表現なので、ぜひ覚えておきましょう。

言ってみましょう

お手洗いはどこですか。

Qǐng wèn　wèi shēng jiān　zài　nǎr
请问，卫生间在哪儿？
[チィン ウエン　ウエイ ション ディエン ヅァイ　ナール]

入口はどこですか。

Qǐng wèn　rù kǒu　zài　nǎr
请问，入口在哪儿？
[チィン ウエン　ルゥー コウ　ヅァイ　ナール]

出口はどこですか。

Qǐng wèn　chū kǒu　zài　nǎr
请问，出口在哪儿？
[チィン ウエン　チゥー コウ　ヅァイ　ナール]

レジはどこですか。

Qǐng wèn　shōu yín tái　zài　nǎr
请问，收银台在哪儿？
[チィン ウエン　シォウ イン タイ　ヅァイ　ナール]

切符売り場はどこですか。

Qǐng wèn　shòu piào chù　zài　nǎr
请问，售票处在哪儿？
[チィン ウエン　シォウ ピィアオ チゥー　ヅァイ　ナール]

CD1-9

8 これは～ですか。

Qǐng wèn　zhèi shì　ma
请问，这是～吗？
[チィン ウエン　ヂェイ シー　マ]

目の前にある洋服の素材やサイズを確認したり、電気製品の性能などを聞いたりする表現です。

言ってみましょう

これは綿ですか。
Qǐng wèn　zhèi shì chúnmián de ma
请问，这是纯棉的吗？
[チィン ウエン　ヂェイ シー チウン ミィエン ダ マ]

これは甘いものですか。
Qǐng wèn　zhèi shì tián de ma
请问，这是甜的吗？
[チィン ウエン　ヂェイ シー ティエン ダ マ]

これが一番小さいものですか。
Qǐng wèn　zhèi shì zuì xiǎo de ma
请问，这是最小的吗？
[チィン ウエン　ヂェイ シー ヅゥイ シィアオ ダ マ]

これは日本製ですか。
Qǐng wèn　zhèi shì rì běn zhì de ma
请问，这是日本制的吗？
[チィン ウエン　ヂェイ シー リー ベン ヂー ダ マ]

これは男女兼用ですか。
Qǐng wèn　zhèi shì nán nǚ jiān yòng de ma
请问，这是男女兼用的吗？
[チィン ウエン　ヂェイ シー ナン ヌゥー ヂィエン イヨン ダ マ]

CD1-10

9 いつ～しますか。

Qǐng wèn　shén me shí hou
请问，什么时候～？
[チィン ウエン　シェン マ シー ホウ]

時間をたずねる表現です。お店の開店や電車の発着などの時間を聞くのに使います。「什么时候」を「几点 jǐ diǎn」（何時）に置き換えることもできます。

言ってみましょう

何時に開店しますか。
Qǐng wèn　shén me shí hou kāi mén
请问，什么时候开门？
[チィン ウエン　シェン マ シー ホウ カイ メン]

何時に閉店しますか。
Qǐng wèn　shén me shí hou guān mén
请问，什么时候关门？
[チィン ウエン　シェン マ シー ホウ グゥアン メン]

いつ発車しますか。
Qǐng wèn　shén me shí hou fā chē
请问，什么时候发车？
[チィン ウエン　シェン マ シー ホウ ファー チャー]

いつ出発しますか。
Qǐng wèn　shén me shí hou chū fā
请问，什么时候出发？
[チィン ウエン　シェン マ シー ホウ チゥー ファー]

何時に集合ですか。
Qǐng wèn　shén me shí hou jí hé
请问，什么时候集合？
[チィン ウエン　シェン マ シー ホウ ヂー ハー]

CD1-11

10 ～はいくらですか。

Qǐng wèn, duō shao qián
请问，～多少钱？
[チィン ウエン ドゥオ シァオ チィエン]

ショッピングや食事のときに欠かせない表現です。物の名前、数量などを「多少钱」の前に置くだけで値段が聞けます。

言ってみましょう

これはいくらですか。
Qǐng wèn, zhèi ge duō shao qián
请问，这个多少钱？
[チィン ウエン ヂェイ ガ ドゥオ シァオ チィエン]

1つ いくらですか。
Qǐng wèn, yí ge duō shao qián
请问，一个多少钱？
[チィン ウエン イー ガ ドゥオ シァオ チィエン]

コーヒーはいくらですか。
Qǐng wèn, kā fēi duō shao qián
请问，咖啡多少钱？
[チィン ウエン カー フェイ ドゥオ シァオ チィエン]

セットメニューはいくらですか。
Qǐng wèn, tào cān duō shao qián
请问，套餐多少钱？
[チィン ウエン タオ ツァン ドゥオ シァオ チィエン]

北京駅までいくらですか。
Qǐng wèn, dào běi jīng zhàn duō shao qián
请问，到北京站多少钱？
[チィン ウエン ダオ ベイ ヂィン ヂャン ドゥオ シァオ チィエン]

常用フレーズ15

CD1-12

あいさつを含めて、旅行に欠かせない便利な実用フレーズです。そのまま覚えて使ってみましょう。

1	こんにちは。	Nǐ hǎo 你 好。 [ニー ハオ]
2	ありがとうございます。	Xiè xie 谢 谢。 [シィエ シィエ]
3	さようなら。	Zài jiàn 再 见。 [ヅァイ ディエン]
4	申し訳ありません。	Duì bu qǐ 对 不 起。 [ドゥイ ブー チー]
5	お願いします。／お手数をおかけします。	Má fan nǐ le 麻 烦 你 了。 [マー ファン ニー ラ]
6	ごめんなさい。／恐れ入ります。	Bù hǎo yì si 不 好 意 思。 [ブー ハオ イー スー]
7	お先にどうぞ。	Nín xiān qǐng 您 先 请。 [ニィン シィエン チィン]
8	少々お待ちください。	Qǐng shāo děng 请 稍 等。 [チィン シァオ デン]

9	お待たせしました。	Ràng nín jiǔ děng le 让您久等了。 [ラン ニィン ヂィウ デン ラ]
10	わかりました。	Zhī dào le 知道了。 [ヂー ダオ ラ]
11	いくらですか。	Duō shao qián 多少钱? [ドゥオ シァオ チィエン]
12	言っていることがわかりません。	Wǒ tīng bu dǒng 我听不懂。 [ウオ ティン ブ ドゥン]
13	もう一度言っていただけますか。	Qǐng zài shuō yí biàn 请再说一遍。 [チィン ヅァイ シゥオ イー ビィエン]
14	少しゆっくり言っていただけますか。	Qǐng màn yì diǎnr shuō 请慢一点儿说。 [チィン マン イー ディアル シゥオ]
15	書いてください。	Qǐng xiě xià lái 请写下来。 [チィン シィエ シィア ライ]

定番応答フレーズ 8

CD1-13

返事や応答でよく使う便利なフレーズです。

1	そうです。	Shì de 是的。 [シー ダ]
2	いいえ	Bú shì 不是。 [ブー シー]
3	いいですよ。	Hǎo de 好的。 [ハオ ダ]
4	わかりました、ありがとう。	Hǎo xiè xie 好，谢谢。 [ハオ シィエ シィエ]
5	いいえ、結構です。	Bú yòng le xiè xie 不用了，谢谢。 [ブー イヨン ラ シィエ シィエ]
6	そうですか。	Shì ma 是吗？ [シー マ]
7	どういたしまして。	Bú xiè　Bié kè qi 不谢。/ 别客气。 [ブー シィエ]　[ビエ カー チ]
8	かまいません。	Méi guān xi　Méi wèn tí 没关系。/ 没问题。 [メイ グゥアン シ]　[メイ ウエン ティー]

疑問代詞 8

CD1-14

中国語の代表的な疑問代詞（＝疑問詞）です。そのまま単独で質問としても使えます。

1	誰	shéi 谁 [シェイ]
2	いくつ	jǐ 几 [ヂー]
3	何	shén me 什么 [シェン マ]
4	どのように	zěn me 怎么 [ヅェン マ]
5	どこ	nǎr 哪儿 [ナール]
6	いくつ	duō shǎo 多少 [ドゥオ シァオ]
7	いつ	shén me shí hou 什么时候 [シェン マ シー ホウ]
8	どれくらいの時間	duō cháng shí jiān 多长时间 [ドゥオ チャン シー ディエン]

知っておくと便利な表現

1 位置

CD1-15

位置・場所を表す基本的な表現です。旅行では、道案内をしてもらうとき、タクシーで行き先を言うときなどによく使います。

左側	zuǒ bian 左边 [ヅゥオ ビィエン]	後ろ	hòu miàn 后面 [ホウ ミィエン]
右側	yòu bian 右边 [イオウ ビィエン]	中、内側	lǐ miàn 里面 [リー ミィエン]
隣、そば	páng biān 旁边 [パン ビィエン]	外側	wài miàn 外面 [ワイ ミィエン]
前	qián miàn 前面 [チィエン ミィエン]	向かい側	duì miàn 对面 [ドゥイ ミィエン]

2 時の表現

CD1-16

一日の時間、季節、月日の言い方で、旅行でもよく使う基本的なものをまず知っておきましょう。

朝	zǎo shang 早上 [ヅァオ シァン]	昼	zhōng wǔ 中午 [ヂォン ウー]
夜	wǎn shang 晚上 [ウアン シァン]	午後	xià wǔ 下午 [シィア ウー]
午前中	shàng wǔ 上午 [シァン ウー]		

春	春天	chūn tiān [チゥン ティエン]
夏	夏天	xià tiān [シィア ティエン]
秋	秋天	qiū tiān [チィウ ティエン]
冬	冬天	dōng tiān [ドゥン ティエン]
先ほど	刚才	gāng cái [ガン ツァイ]
今	现在	xiàn zài [シィエン ヅァイ]
昨日	昨天	zuó tiān [ヅゥオ ティエン]
今日	今天	jīn tiān [ヂィン ティエン]
明日	明天	míng tiān [ミィン ティエン]
先週	上星期	shàng xīng qī [シァン シィン チー]
今週	这星期	zhèi xīng qī [ヂェイ シィン チー]
来週	下星期	xià xīng qī [シィア シィン チー]
先月	上个月	shàng ge yuè [シァン ガ ユエ]
今月	这个月	zhèi ge yuè [ヂェイ ガ ユエ]
来月	下个月	xià ge yuè [シィア ガ ユエ]

3 数字

CD1-17

中国語の数字は日本語と似ています。1 ～ 10 の言い方を覚えれば、11 ～ 99 は、1 ～ 10 の数字をそのまま並べるだけでつくれます。

0	líng 零 [リン]	9	jiǔ 九 [ヂィウ]
1	yī 一 [イー]	10	shí 十 [シー]
2	èr 二 [アル]	11	shí yī 十一 [シー イー]
3	sān 三 [サン]	12	shí èr 十二 [シー アル]
4	sì 四 [スー]	13	shí sān 十三 [シー サン]
5	wǔ 五 [ウー]	20	èr shí 二十 [アル シー]
6	liù 六 [リウ]	78	qī shi bā 七十八 [チー シ バー]
7	qī 七 [チー]	99	jiǔ shi jiǔ 九十九 [ヂィウ シ ヂィウ]
8	bā 八 [バー]		

注意：

＊中国語の 1 桁の 2 は「二 èr」と「两 liǎng」という 2 つの言い方があります。
どちらを使うかには、決まりがあります。

bǎi	qiān	wàn
百	千	万
バイ	チィエン	ウアン

*日本語の百、千、万の場合には、前に「一」を付けませんがが、中国語は必ず、1、2、3などの数字を付けます。

100	yì bǎi 一百 [イー バイ]	2000	liǎng qiān 两千 [リィアン チィエン]
200	liǎng bǎi 两百 [リィアン バイ]	10000	yí wàn 一万 [イー ウアン]
1000	yì qiān 一千 [イー チィエン]	20000	liǎng wàn 两万 [リィアン ウアン]

4 序数詞

CD1-18

「～番目」の意味で、物の順番を言うときに使います。

1番目	dì yī ge 第一个 [ディー イー ガ]	4番目	dì sì ge 第四个 [ディー スー ガ]
2番目	dì èr ge 第二个 [ディー アル ガ]	5番目	dì wǔ ge 第五个 [ディー ウー ガ]
3番目	dì sān ge 第三个 [ディー サン ガ]	10番目	dì shí ge 第十个 [ディー シー ガ]

5 月

CD1-19

「数字+月」で表します。

1月	yī yuè 一月 [イー ユエ]	
2月	èr yuè 二月 [アル ユエ]	
3月	sān yuè 三月 [サン ユエ]	
4月	sì yuè 四月 [スー ユエ]	
5月	wǔ yuè 五月 [ウー ユエ]	
6月	liù yuè 六月 [リウ ユエ]	
7月	qī yuè 七月 [チー ユエ]	
8月	bā yuè 八月 [バー ユエ]	
9月	jiǔ yuè 九月 [ヂィウ ユエ]	
10月	shí yuè 十月 [シー ユエ]	
11月	shí yī yuè 十一月 [シー イー ユエ]	
12月	shí èr yuè 十二月 [シー アル ユエ]	
何月	jǐ yuè 几月 [ヂー ユエ]	

6 日付

CD1-20

会話に使う「号」と、文章に使う「日」の２種類があります。まず「号」を覚えておきましょう。「数字＋号」で表します。

1日	yī hào 一号 [イー ハオ]
2日	èr hào 二号 [アル ハオ]
3日	sān hào 三号 [サン ハオ]
5日	wǔ hào 五号 [ウー ハオ]
10日	shí hào 十号 [シー ハオ]
11日	shí yī hào 十一号 [シー イー ハオ]
12日	shí èr hào 十二号 [シー アル ハオ]
20日	èr shí hào 二十号 [アル シー ハオ]
30日	sān shí hào 三十号 [サン シー ハオ]
31日	sān shi yī hào 三十一号 [サン シ イー ハオ]
何日	jǐ hào 几号 [ヂー ハオ]

7 曜日

CD1-21

一から六までの数字を「星期」の後に付けることで、月曜日から土曜日を表します。日曜日の場合、「七」という数字を使わず、「日」また「天」を使います。どちらも同じように使うので、言いやすいほうを覚えておきましょう。

月曜日	xīng qī yī 星期一 [シィン チー イー]
火曜日	xīng qī èr 星期二 [シィン チー アル]
水曜日	xīng qī sān 星期三 [シィン チー サン]
木曜日	xīng qī sì 星期四 [シィン チー スー]
金曜日	xīng qī wǔ 星期五 [シィン チー ウー]
土曜日	xīng qī liù 星期六 [シィン チー リウ]
日曜日	xīng qī rì 星期日 [シィン チー リー] / xīng qī tiān 星期天 [シィン チー ティエン]
何曜日	xīng qī jǐ 星期几 [シィン チー ヂー]

8 時間にまつわる表現

CD1-22

1 分間	yì fēn zhōng 一分钟 [イー フェン ヂォン]
2 分間	liǎng fēn zhōng 两分钟 [リィアン フェン ヂォン]
30 分間	sān shí fēn zhōng 三十分钟 [サン シー フェン ヂォン]
1 時間	yí ge xiǎo shí 一个小时 [イー ガ シィアオ シー]
2 時間	liǎng ge xiǎo shí 两个小时 [リィアン ガ シィアオ シー]
2 時間半	liǎng ge bàn xiǎo shí 两个半小时 [リィアン ガ バン シィアオ シー]
1 日間	yì tiān 一天 [イー ティエン]
2 日間	liǎng tiān 两天 [リィアン ティエン]
1 週間	yì xīng qī 一星期 [イー シィン チー]
2 週間	liǎng xīng qī 两星期 [リィアン シィン チー]

9 時刻

CD1-23

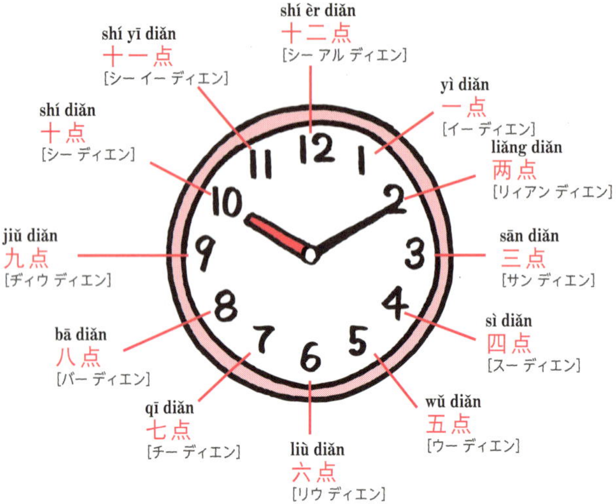

1分	yì fēn 一分 [イー フェン]
2分	liǎng fēn 两分 [リィアン フェン]
15分	yí kè 一刻 [イー カー]
45分	sān kè 三刻 [サン カー]
3時15分	sān diǎn shí wǔ fēn 三点十五分 [サン ディエン シー ウー フェン] / sān diǎn yí kè 三点一刻 [サン ディエン イー カー]

10 お金

CD1-24

中国の通貨は「人民币 rén mín bì レン ミン ビー」と言います。その単位は文章用と口語用の２種類があり、またそれぞれに３つの単位があります。買い物の際には、文章用の単位で書かれている値札の金額を見て、口語用の単位で言います。口語用の単位もしっかりと覚えておくことが大切です。

文章用：	yuán 元 ユアン	jiǎo 角 ヂィアオ	fēn 分 フェン
口頭用：	kuài 块 クゥアイ	máo 毛 マオ	fēn 分 フェン

＊１元＝10角＝100分

注意：

＊１桁の「二」は「两」を使います。「两块」「两毛」「两分」

＊「百」の場合：「两百 liǎng bǎi」と「二百 èr bǎi」のどちらでも大丈夫です。

liǎng qiān	liǎng bǎi	èr shi	èr kuài	liǎng máo	liǎng fēn
2	2	2	2.	2	2
リィアン チィエン	リィアン バイ	アル シー	アル クゥアイ	リィアン マオ	リィアン フェン

＊最下位の桁の数字が「0」の場合には、省略することができます。

文章用	口語用
2.00元	liǎng kuài 两块 [リィアン クゥアイ]
203.20元	èr bǎi líng sān kuài liǎng máo 二百零三块两毛 [アル バイ リン サン クゥアイ リィアン マオ]

11 単位

CD1-25

コーヒー１杯の「杯」のように、物を数える単位はたくさんあります。どんな物にどんな単位を使うかは決まっているので、そのまま覚えましょう。「二」は「两」を使います。

●不特定のものを指すとき

「数字＋単位＋物」

セット１つ	yí ge tào cān 一个套餐 ［イー ガ タオ ツァン］
コーヒー１杯	yì bēi kā fēi 一杯咖啡 ［イー ベイ カー フェイ］
洋服１枚	yí jiàn yī fu 一件衣服 ［イー ディエン イー フゥ］
ズボン１本	yì tiáo kù zi 一条裤子 ［イー ティアオ クゥー ヅ］
切符２枚	liǎng zhāng chē piào 两张车票 ［リィアン ヂャン チャー ピィアオ］

●特定のものを指すとき

「这＋単位＋物」

この洋服	zhèi jiàn yī fu 这件衣服 ［ヂェイ ディエン イー フゥ］
この洋服をください。	Wǒ yào zhèi jiàn yī fu 我要这件衣服。 ［ウオ ヤオ ヂェイ ディエン イー フゥ］

12 重さ

CD1-26

キログラム	gōng jīn 公斤 [ゴウン ディン]
500グラム	jīn 斤（中国特有の重さの単位） [ディン]
グラム	kè 克 [カー]

13 長さ

CD1-27

キロメートル	gōng lǐ 公里 [ゴウン リー]
500メートル	lǐ 里（中国特有の長さの単位） [リー]
メートル	mǐ 米 [ミー]
センチ	gōng fēn 公分 [ゴウン フェン]
ミリ	lí mǐ 厘米 [リー ミー]

ひとくちメモ

中国の気候

国土の広大な中国では、南北、東西で気候が大きく異なります。長江を境に、北は「北方」、南は「南方」と呼ばれています。沿海部の都市は同じ緯度の日本の都市より気温が２～４度くらい低いです。

内陸部に行けば行くほど大陸性気候の特徴が顕著に現れ、夏は暑く、冬は寒く、朝晩の温度差が非常に大きくなります。長江南地域の梅雨時期を除き、中国のほとんどの地域は日本より乾燥しているため、肌の保湿対策は必須です。

機内・空港

中国への旅は飛行機に乗るところから始まります。空港や機内でも基本フレーズを使って、快適でスムーズに中国旅行をスタートさせましょう。雲の彼方には雄大な中国の大地が待っています。

✈ » 機内で

客室乗務員に頼む

CD1-28

1 毛布をいただけますか。

Qǐng gěi wǒ máo tǎn hǎo ma

请给我毛毯好吗？

[チィン ゲイ ウオ マオ タン ハオ マ]

言い換え

枕	xiǎo zhěn tou **小枕头** [シィアオ チェン トウ]
日本語の新聞	rì wén bào zhǐ **日文报纸** [リー ウエン バオ チー]
税関申告書	hǎi guān shēn bào dān **海关申报单** [ハイ グゥアン シェン バオ ダン]

機内食を選ぶ

CD1-29

2 和食をください。

Wǒ yào rì cān

我要日餐。

[ウオ ヤオ リー ツァン]

言い換え

洋食	guó jì cān **国际餐** [グゥオ チー ツァン]
スペシャル料理	tè shū cān **特殊餐** [タァー シュー ツァン]
子供向け機内食	ér tóng cān **儿童餐** [アル トゥン ツァン]

飲み物を頼む

CD1-30

3 ビールをください。

Wǒ yào pí jiǔ
我要啤酒。
[ウオ ヤオ ピィー ディウ]

言い換え

白ワイン	bái jiǔ **白酒** [バイ ディウ]
赤ワイン	hóng jiǔ **红酒** [ホン ディウ]
緑茶	lǜ chá **绿茶** [リュイ チャー]
コーヒー	kā fēi **咖啡** [カー フェイ]
ミネラルウォーター	kuàng quán shuǐ **矿泉水** [クゥアン チュアン シゥイ]
オレンジジュース	chéng zhī **橙汁** [チェン ヂー]
アップルジュース	píng guǒ zhī **苹果汁** [ピィン グゥオ ヂー]
トマトジュース	fān qié zhī **番茄汁** [ファン チィエ ヂー]

● 機内の単語

CD1-31

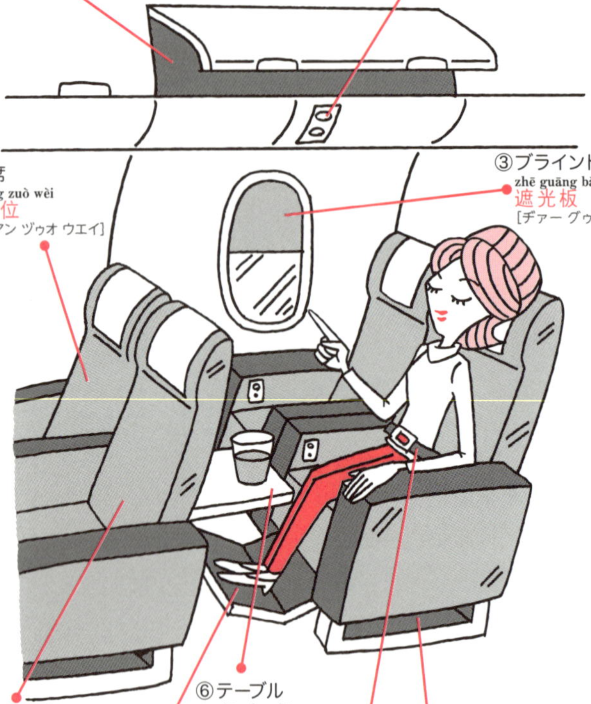

①荷物棚
xíng li jià
行李架
［シィン リ ヂィア］

②読書灯
dú shū dēng
读书灯
［ドゥー シュー デン］

③ブラインド
zhē guāng bǎn
遮光板
［ヂァー グゥアン バン］

④救命胴衣
jiù shēng yī
救生衣
［ヂィウ ション イー］

⑤シートベルト
ān quán dài
安全带
［アン チュアン ダイ］

⑥テーブル
xiǎo zhuō bǎn
小桌板
［シィアオ ヂゥオ バン］

⑦フットレスト
jiǎo tà
脚踏
［ヂィアオ ター］

⑧通路側の席
kào guò dào zuò wèi
靠过道座位
［カオ グゥオ ダオ ヅゥオ ウエイ］

⑨窓側の席
kào chuāng zuò wèi
靠窗座位
［カオ チゥアン ヅゥオ ウエイ］

機内で使う 定番フレーズ

CD1-32

- 席を替えることができますか。
  Kě yǐ huàn ge zuò wèi ma
  可以换个座位吗？
  [カー イー ホゥアン ガ ヅゥオ ウエイ マ]

- 座席を倒してもいいですか。
  Kě yǐ bǎ kào bèi fàng xià qù ma
  可以把靠背放下去吗？
  [カー イー バー カオ ベイ ファン シィア チュイ マ]

- 荷物棚はいっぱいです。
  Xíng li xiāng yǐ jīng mǎn le
  行李箱已经满了。
  [シィン リ シィアン イー ヂィン マン ラ]

- ヘッドホンの調子が悪いです。
  Ěr jī yǒu wèn tí
  耳机有问题。
  [アル チー イオウ ウエン ティー]

- リモコンの調子が悪いです。
  Yáo kòng yǒu wèn tí
  遥控有问题。
  [ヤオ クゥン イオウ ウエン ティー]

- 気分が悪いです。
  Wǒ yǒu diǎnr bù shū fu
  我有点儿不舒服。
  [ウオ イオウ ディアル ブー シュー フゥ]

- 飲み物をこぼしてしまいました。
  Wǒ bǎ yǐn liào sǎ le
  我把饮料撒了。
  [ウオ バー イン リィアオ サー ラ]

- すみません、通していただけますか。
  Láo jià ràng yí xià
  劳驾，让一下。
  [ラオ ヂィア ラン イー シィア]

到着空港で

入国審査

CD1-33

1 観光のために来ました。

Wǒ shì lái guān guāng de

我是来观光的。

[ウオ シー ライ グヮアン グヮアン ダ]

言い換え

仕事	gōng zuò **工作** [ゴゥン ヅゥオ]
留学	liú xué **留学** [リウ シュエ]
友人に会う	jiàn péng you **见朋友** [チィエン ペン イオウ]

CD1-34

2 1週間です。

yì xīng qī

一星期。

[イー シィン チー]

言い換え

3日間	sān tiān **三天** [サン ティエン]
2週間	liǎng xīng qī **两星期** [リィアン シィン チー]
1カ月	yí ge yuè **一个月** [イー ガ ユエ]

CD1-35

3 ホテルに泊まります。

Wǒ zhù jiǔ diàn
我住酒店。
[ウオ ヂゥー ヂィウ ディエン]

言い換え

北京飯店	běi jīng fàn diàn **北京饭店** [ベイ ヂィン ファン ディエン]
大学の寮	dà xué de sù shè **大学的宿舍** [ダー シュエ ダ スゥー シァー]
友人宅	péng yǒu jiā **朋友家** [ペン イオウ ヂィア]

CD1-36

4 私は会社員です。

Wǒ shì gōng sī zhí yuán
我是公司职员。
[ウオ シー ゴゥン スー ヂー ユアン]

言い換え

公務員	gōng wù yuán **公务员** [ゴゥン ウー ユアン]
学生	xué sheng **学生** [シュエ ション]
医者	yī shēng **医生** [イー ション]

荷物の受け取り

CD1-37

5 手荷物受取所はどこですか。

Xíng li tí qǔ chù zài nǎr

行李提取处在哪儿？

[シィン リ ティー チュイ チゥー ヅァイ ナール]

言い換え

カート	shǒu tuī chē **手推车** [シォウ トゥイ チャー]
遺失物カウンター	shī wù zhāo lǐng chù **失物招领处** [シー ウー ヂャオ リン チゥー]
NH964便のターンテーブル	NH jiǔ liù sì háng bān de xíng li zhuàn pán **NH964 航班的行李转盘** [NH ヂィウ リウ スー ハン バン ダ シィン リ ヂゥアン パン]

CD1-38

6 私のスーツケースは黒い色です。

Wǒ de xíng li xiāng shì hēi sè de

我的行李箱是黑色的。

[ウオ ダ シィン リ シィアン シー ヘイ スァ ダ]

言い換え

青い色	lán sè **蓝色** [ラン スァ]
銀色	yín sè **银色** [イン スァ]
赤い色	hóng sè **红色** [ホン スァ]

税関審査

CD1-39

7 ウイスキーを１本持っています。

Wǒ dài le yì píng wēi shì jì

我带了一瓶威士忌。

[ウオ ダイ ラ イー ピィン ウエイ シー ヂー]

言い換え

ブランデー	bái lán dì	**白兰地** [バイ ラン ディー]
日本酒	rì běn jiǔ	**日本酒** [リー ベン ヂィウ]
タバコ１カートン	yì tiáo yān	**一条烟** [イー ティアオ イエン]

CD1-40

8 これは身の回り品です。

Zhèi shì wǒ zì jǐ yòng de

这是我自己用的。

[ヂェイ シー ウオ ヅー ヂー イヨン ダ]

言い換え

化粧品	huà zhuāng pǐn	**化妆品** [ホゥア ヂゥアン ピィン]
常備薬	cháng bèi yào	**常备药** [チャン ベイ ヤオ]
友人へのお土産	gěi péng you de lǐ wù	**给朋友的礼物** [ゲイ ペン イオウ ダ リー ウー]

両替をする

CD1-41

9 両替所はどこですか。

Huò bì duì huàn chù zài nǎr

货币兑换处在哪儿？

[ホゥオ ビー ドゥイ ホゥアン チゥー ヅァイ ナール]

言い換え

銀行	yín háng 银行 [イン ハン]

CD1-42

10 人民元に換えてください。

Wǒ xiǎng huàn rén mín bì

我想换人民币。

[ウオ シィアン ホゥアン レン ミィン ビー]

言い換え

日本円	rì yuán 日元 [リー ユアン]
米ドル	měi yuán 美元 [メイ ユアン]
香港ドル	gǎng bì 港币 [ガン ビー]
ユーロ	ōu yuán 欧元 [オウ ユアン]
ウォン	hán yuán 韩元 [ハン ユアン]

CD1-43

11 領収書をください。

Qǐng gěi wǒ fā piào hǎo ma

请给我发票好吗？

[チィン ゲイ ウオ ファー ピィアオ ハオ マ]

言い換え

小銭	líng qián **零钱** [リン チィエン]
紙幣	zhǐ bì **纸币** [ヂー ビー]
硬貨	yìng bì **硬币** [イン ビー]

ひとくちメモ

北京首都空港

北京首都空港は市内の中心部から約25キロに位置しています。3つのターミナル（1号航站楼，2号航站楼，3号航站楼）があり、94の航空会社が乗り入れ、一日約1700便が発着する中国最大の空港です。成田空港と同じく、航空会社によって利用するターミナルが異なり、日本航空と全日空は最新の第3ターミナルを利用しています。

市内へのアクセスは空港リムジン、地下鉄、タクシー、レンタカーといった交通機関から選ぶことができます。地下鉄は10分おきに発車し、料金は一律25元(約400円)です。リムジンバスは行き先によって乗り場が違うため、宿泊ホテルの名前と住所を漢字でメモしておき、係員に確認しましょう。

各ターミナルの間の行き来には、10分間隔で運行する無料シャトルバスが利用できます。

空港の単語

CD1-44

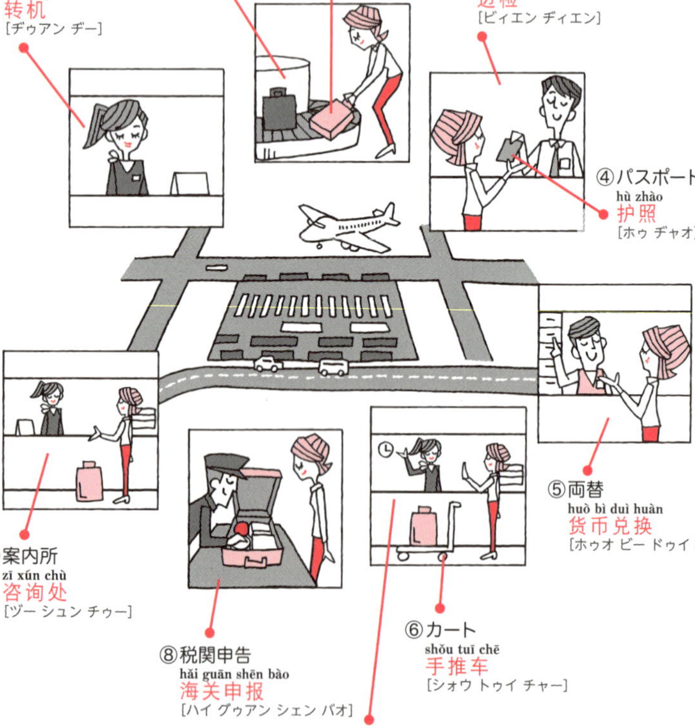

①手荷物受取所
xíng li tí qǔ chǔ
行李提取处
[シィン リ ティー チュイ チゥー]

②スーツケース
xíng li xiāng
行李箱
[シィン リ シィアン]

③入国審査
biān jiǎn
边检
[ビィエン ディエン]

④パスポート
hù zhào
护照
[ホゥ ヂャオ]

⑤両替
huò bì duì huàn
货币兑换
[ホゥオ ビー ドゥイ ホゥアン]

⑥カート
shǒu tuī chē
手推车
[シォウ トゥイ チャー]

⑦チェックインカウンター
bàn lǐ dēng jī shǒu xù guì tái
办理登机手续柜台
[バン リー デン ヂー シォウ シュイ グゥイ タイ]

⑧税関申告
hǎi guān shēn bào
海关申报
[ハイ グゥアン シェン バオ]

⑨案内所
zī xún chù
咨询处
[ヅー シュン チゥー]

⑩乗り継ぎ
zhuǎn jī
转机
[ヂゥアン ヂー]

空港から市内へ

交通機関の場所を聞く

CD1-45

1 地下鉄の駅はどこですか。

Qǐng wèn dì tiě zhàn zài nǎr

请问，地铁站在哪儿？

[チィン ウエン ディー ティエ ヂャン ヅァイ ナール]

言い換え

空港シャトルバス	jī chǎng bā shì **机场巴士** [ヂー チャン バー シー]
バス停	gōng jiāo chē zhàn **公交车站** [ゴゥン ヂィアオ チャー ヂャン]
タクシー乗り場	chū zū chē zhàn **出租车站** [チゥー ヅゥ チャー ヂャン]

タクシーに乗る

CD1-46

2 トランクを開けてください。

Qǐng dǎ kāi hòu bèi xiāng

请打开后备箱。

[チィン ダー カイ ホウ ベイ シィアン]

言い換え

ここに行く	qù zhèr **去这儿** [チュイ ヂェール]
ここで停める	zài zhèr tíng **在这儿停** [ヅァイ ヂェール ティン]
手伝う	bāng wǒ ná yí xià **帮我拿一下** [バン ウオ ナー イー シィア]

タクシーの定番フレーズ

CD1-47

● いくらですか。	Duō shao qián 多少钱? [ドゥオ シァオ チィエン]
● どれくらいの時間がかかりますか。	Yào duō cháng shí jiān 要多长时间? [ヤオ ドゥオ チァン シー ディエン]
● ゆっくり運転してください。	Qǐng màn yì diǎnr kāi 请慢一点儿开。 [チィン マン イー ディアル カイ]
● 渋滞ですか。	Dǔ chē ma 堵车吗? [ドゥー チャー マ]
● レシートをください。	Qǐng gěi wǒ fā piào hǎo ma 请给我发票好吗? [チィン ゲイ ウオ ファー ピィアオ ハオ マ]
● 小銭があります。	Wǒ yǒu líng qián 我有零钱。 [ウオ イオウ リン チィエン]
● 小銭がありません。	Wǒ méi yǒu líng qián 我没有零钱。 [ウオ メイ イオウ リン チィエン]
● おつりは結構です。	Bú yòng zhǎo le 不用找了。 [ブー イヨン ヂャオ ラ]

宿泊

中国では、有名ホテルには日本語が通じるところもありますが、一般的には通じません。簡単な用件は中国語で伝えられると便利です。決まったフレーズと単語の組み合わせでたいていの用は済ませられます。

問い合わせ

客室のタイプ

CD1-48

1 ツインルームをお願いします。

Wǒ yào yí ge shuāng rén jiān

我要一个双人间。

[ウオ ヤオ イー ガ シゥアン レン ディエン]

言い換え

シングルルーム	dān rén jiān **单人间** [ダン レン ディエン]
ダブルルーム	shuāng rén chuáng jiān **双人床间** [シゥアン レン チゥアン ディエン]
スイートルーム	tào jiān **套间** [タオ ディエン]
バスタブ付きの部屋	dài yù gāng de fáng jiān **带浴缸的房间** [ダイ ユイ ガン ダ ファン ディエン]
禁煙ルーム	jìn yān fáng jiān **禁烟房间** [ディン イエン ファン ディエン]
喫煙ルーム	xī yān fáng jiān **吸烟房间** [シー イエン ファン ディエン]
海が見える部屋	hǎi jǐng fáng jiān **海景房间** [ハイ ディン ファン ディエン]
一番安い部屋	zuì pián yi de fáng jiān **最便宜的房间** [ヅゥイ ピィエン イ ダ ファン ディエン]

料金を聞く

CD1-49

2 1泊いくらですか。

Yì wǎn duō shao qián

一晚多少钱？

[イー ウアン ドゥオ シァオ チィエン]

言い換え

エキストラベッド	jiā chuáng 加床 [ヂィア チゥアン]
朝食の追加	jiā zǎo cān 加早餐 [ヂィア ヅァオ ツァン]
延泊	yán cháng zhù sù 延长住宿 [イエン チャン ヂウー スゥー]
デポジット	dān bǎo fèi 担保费 [ダン バオ フェイ]

チェックインの一言

CD1-50

ネットで予約しています。	Zài wǎng shang yù dìng de 在网上预订的。 [ヅァイ ウアン シァン ユイ ディン ダ]
これがバウチャーです。	Zhèi shì xiǎo piàor 这是小票儿。 [ヂェイ シー シィアオ ピィアオル]
これがパスポートです。	Zhèi shì hù zhào 这是护照。 [ヂェイ シー ホゥ ヂャオ]
これがクレジットカードです。	Zhèi shì xìn yòng kǎ 这是信用卡。 [ヂェイ シー シィン イヨン カー]

» フロントで

希望を伝える

CD1-51

1 チェックインしたいのですが。

Wǒ xiǎng bàn lǐ rù zhù shǒu xù

我想办理入住手续。

[ウオ シィアン バン リー ルゥー ヂゥー シォウ シュイ]

言い換え

チェックアウトする	tuì fáng **退房** [トゥイ ファン]
部屋を換える	huàn fáng jiān **换房间** [ホゥアン ファン ヂィエン]
荷物を預ける	cún fàng xíng li **存放行李** [ツゥン ファン シィン リ]
クレジットカードで支払う	shuā kǎ **刷卡** [シゥア カー]
現金で支払う	fù xiàn jīn **付现金** [フゥー シィエン ヂィン]
延泊する	yán cháng zhù sù **延长住宿** [イエン チャン ヂゥー スゥー]
タクシーを呼ぶ	jiào chū zū chē **叫出租车** [ヂィアオ チゥー ヅゥ チャー]
両替をする	huò bì duì huàn **货币兑换** [ホゥオ ビー ドゥイ ホゥアン]

館内設備の場所を聞く

CD1-52

2 レストランはどこですか。

Qǐng wèn　cān tīng zài nǎr
请问，餐厅在哪儿？
[チィン ウエン ツァン ティン ヅァイ ナール]

言い換え

エレベーター	zhí tī 直梯 [ヂー ティー]
お手洗い	wèi shēng jiān 卫生间 [ウエイ ション ヂィエン]
バー	jiǔ bā 酒吧 [ヂィウ バー]
プール	yóu yǒng chí 游泳池 [イオウ イヨン チー]
宴会場	yàn huì tīng 宴会厅 [イエン ホゥイ ティン]
エステティックサロン	měi róng shì 美容室 [メイ ロゥン シー]
サウナ	sāng ná yù 桑拿浴 [サン ナー ユイ]
ビジネスセンター	shāng wù zhōng xīn 商务中心 [シァン ウー ヂォン シィン]
売店	lǐ pǐn bù 礼品部 [リー ピィン ブー]

部屋で

室内備品を求める

CD1-53

1 タオルをください。

Wǒ yào yì tiáo máo jīn

我要一条毛巾。

[ウオ ヤオ イー ティアオ マオ ヂィン]

言い換え

バスタオル	yì tiáo yù jīn 一条浴巾 [イー ティアオ ユイ ヂィン]
石けん	yí kuài xiāng zào 一块香皂 [イー クゥアイ シィアン ヅァオ]
シャンプー	xǐ fà lù 洗发露 [シー ファー ルー]
リンス	fà rǔ 发乳 [ファー ルー]
毛布	yì tiáo máo tǎn 一条毛毯 [イー ティアオ マオ タン]
シーツ	yì tiáo chuáng dān 一条床单 [イー ティアオ チゥアン ダン]
枕	yí ge zhěn tou 一个枕头 [イー ガ ヂェン トウ]
トイレットペーパー	yì juǎn wèi shēng zhǐ 一卷卫生纸 [イー ヂュアン ウエイ ション ヂー]

設備について聞く

CD1-54

2 アイロンはありますか。

Qǐng wèn　yǒu yùn dǒu ma
请问，有熨斗吗？
[チィン ウエン イオウ ユン ドウ マ]

言い換え

ドライヤー	chuī fēng jī **吹风机** [チゥイ フォン チー]
魔法瓶	rè shuǐ hú **热水壶** [ラー シゥイ ホゥ]
体温計	tǐ wēn jì **体温计** [ティー ウエン チー]
ネットケーブル	wǎng lù xiàn **网路线** [ウアン ルー シィエン]
携帯充電器	shǒu jī chōng diàn qì **手机充电器** [シォウ チー チゥン ディエン チー]
ファックス	chuán zhēn **传真** [チゥアン チェン]
栓抜き	qǐ zi / kāi píng qì **起子 / 开瓶器** [チー ヅ] [カイ ピィン チー]

CD1-55

3 モーニングコールをお願いしたいのですが。

Wǒ xū yào jiào xǐng fú wù

我需要叫醒服务。

[ウオ シュイ ヤオ ヂィアオ シィン フウー ウー]

言い換え

クリーニング	xǐ yī fú wù 洗衣服务 [シー イー フウー ウー]
ルームサービス	kè fáng fú wù 客房服务 [カー ファン フウー ウー]
マッサージ	àn mó 按摩 [アン モー]
部屋の掃除	qīng sǎo fáng jiān 清扫房间 [チィン サオ ファン ヂィエン]

ひとくちメモ

飲み水

中国の水道水はそのまま飲むことはできません。現地の人は水道水を沸騰させた後、魔法瓶に入れて、保温しておきます。それを使ってお茶を入れたり、冷まして白湯として飲むのです。ちなみに、中国の水は硬水であり、ミネラルがとても豊富です。

ペットボトルのミネラルウォーターやお茶は、スーパーやコンビニで売っています。また、ホテルの部屋には無料のミネラルウォーターがよく置いてあります。レストランではお湯は無料サービスで、お代わりも自由です。

朝食を注文する

CD1-56

4 小籠包を３つください。

Wǒ yào sān ge xiǎo lóng bāo

我要三个小笼包。

[ウオ ヤオ サン ガ シィアオ ロゥン バオ]

言い換え

コーヒーを１杯	yì bēi kā fēi 一杯咖啡 [イー ベイ カー フェイ]
紅茶を１杯	yì bēi hóng chá 一杯红茶 [イー ベイ ホン チャー]
ミルクを１杯	yì bēi niú nǎi 一杯牛奶 [イー ベイ ニィウ ナイ]
オレンジジュースを１杯	yì bēi chéng zhī 一杯橙汁 [イー ベイ チェン ヂー]
トマトジュースを１杯	yì bēi fān qié zhī 一杯番茄汁 [イー ベイ ファン チィエ ヂー]
豆乳を１杯	yì wǎn dòu jiāng 一碗豆浆 [イー ウアン ドウ ヂィアン]
揚げパンを１つ	yí fèn yóu tiáo 一份油条 [イー フェン イオウ ティアオ]
食パンを２枚	liǎng piàn miàn bāo 两片面包 [リィアン ピィエン ミィエン バオ]

● ホテルの部屋の単語

CD1-57

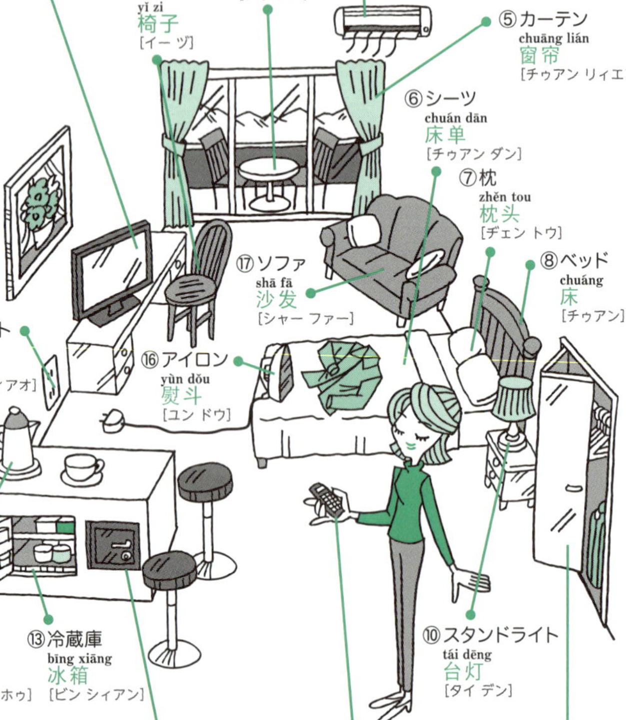

①テレビ
diàn shì
电视
［ディエン シー］

②椅子
yǐ zi
椅子
［イー ヅ］

③テーブル
zhuō zi
桌子
［ヂゥオ ヅ］

④エアコン
kōng tiáo
空调
［コゥン ティアオ］

⑤カーテン
chuāng lián
窗帘
［チゥアン リィエン］

⑥シーツ
chuán dān
床单
［チゥアン ダン］

⑦枕
zhěn tou
枕头
［ヂェン トウ］

⑧ベッド
chuáng
床
［チゥアン］

⑨クローゼット
yī guì
衣柜
［イー グゥイ］

⑩スタンドライト
tái dēng
台灯
［タイ デン］

⑪リモコン
yáo kòng qì
遥控器
［ヤオ コゥン チー］

⑫セーフティーボックス
bǎo xiǎn xiāng
保险箱
［バオ シィエン シィアン］

⑬冷蔵庫
bīng xiāng
冰箱
［ビン シィアン］

⑭魔法瓶
rè shuǐ hú
热水壶
［ラー シゥイ ホゥ］

⑮コンセント
chā xiāo
插销
［チャー シィアオ］

⑯アイロン
yùn dǒu
熨斗
［ユン ドウ］

⑰ソファ
shā fā
沙发
［シャー ファー］

● バスルームの単語

CD1-58

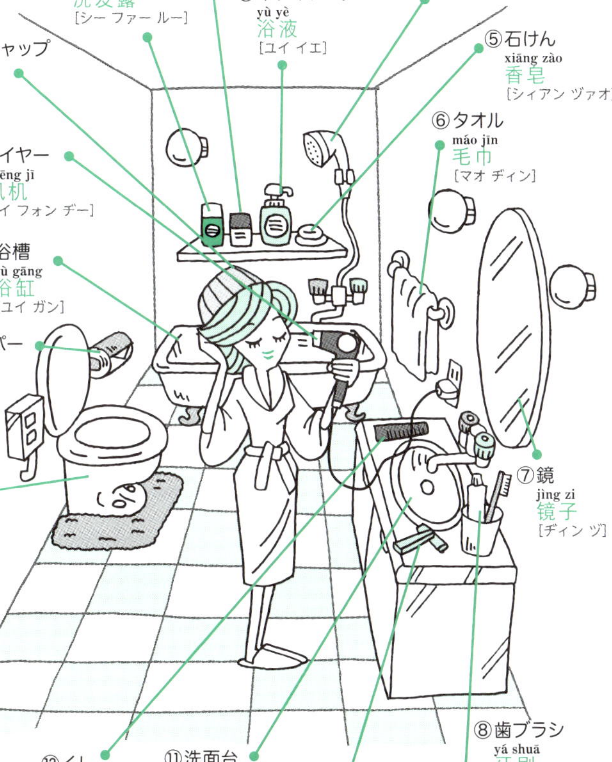

①シャンプー
xǐ fà lù
洗发露
[シー ファー ルー]

②リンス
fà rǔ
发乳
[ファー ルゥー]

③ボディソープ
yù yè
浴液
[ユイ イエ]

④シャワーヘッド
pēn tóu
喷头
[ペン トウ]

⑤石けん
xiāng zào
香皂
[シィアン ヅァオ]

⑥タオル
máo jīn
毛巾
[マオ ヂィン]

⑦鏡
jìng zi
镜子
[ヂィン ヅ]

⑧歯ブラシ
yá shuā
牙刷
[ヤー シゥア]

⑨歯磨き
yá gāo
牙膏
[ヤー ガオ]

⑩髭剃り
tì xū dāo
剃须刀
[ティー シュイ ダオ]

⑪洗面台
xǐ liǎn tái
洗脸台
[シー リィエン タイ]

⑫くし
shū zi
梳子
[シュー ヅ]

⑬便器
mǎ tǒng
马桶
[マー トゥン]

⑭トイレットペーパー
wèi shēng zhǐ
卫生纸
[ウエイ ション ヂー]

⑮浴槽
yù gāng
浴缸
[ユイ ガン]

⑯ドライヤー
chuī fēng jī
吹风机
[チゥイ フォン ヂー]

⑰シャワーキャップ
yù mào
浴帽
[ユイ マオ]

»トラブル

故障している

CD1-59

1 電話が壊れています。

Diàn huà huài le

电话坏了。

[ディエン ホゥア ホゥアイ ラ]

言い換え

エアコン	kōng tiáo **空调** [コゥン ティアオ]
テレビ	diàn shì **电视** [ディエン シー]
冷蔵庫	bīng xiāng **冰箱** [ビン シィアン]
電球	dēng pào **灯泡** [デン パオ]
セーフティーボックス	bǎo xiǎn xiāng **保险箱** [バオ シィエン シィアン]
ドライヤー	chuī fēng jī **吹风机** [チゥイ フォン ヂー]
目覚まし時計	nào zhōng **闹钟** [ナオ ヂォン]
シャワーヘッド	pēn tóu **喷头** [ペン トウ]

フロントで使う 定番フレーズ

CD1-60

● シングルルームを予約しています。
Wǒ yù dìng le yí ge dān rén jiān
我预订了一个单人间。
[ウオ ユイ ディン ラ イー ガ ダン レン ディエン]

● 3泊する予定です。
Wǒ dǎ suàn zhù sān tiān
我打算住三天。
[ウオ ダー スゥアン ヂゥー サン ティエン]

● チェックインは何時からですか。
Jǐ diǎn bàn lǐ rù zhù shǒu xù
几点办理入住手续?
[ヂー ディエン バン リー ルゥー ヂゥー ショウ シュイ]

● チェックアウトは何時までですか。
Jǐ diǎn tuì fáng
几点退房?
[ヂー ディエン トゥイ ファン]

● 禁煙ルームをお願いします。
Wǒ yào jìn yān fáng jiān
我要禁烟房间。
[ウオ ヤオ ヂィン イエン ファン ディエン]

● このあたりにコンビニがありますか。
Fù jìn yǒu biàn lì diàn ma
附近有便利店吗?
[フゥー ヂィン イオウ ビィエン リー ディエン マ]

● 荷物を預けたいのですが。
Wǒ xiǎng cún fàng xíng li
我想存放行李。
[ウオ シィアン ツゥン ファン シィン リ]

● 預けた荷物を引き取りたいのですが。
Wǒ xiǎng lǐng qǔ xíng li
我想领取行李。
[ウオ シィアン リン チュイ シィン リ]

● 日本語が話せる人はいますか。
Yǒu huì jiǎng rì wén de rén ma
有会讲日文的人吗?
[イオウ ホゥイ ディアン リー ウエン ダ レン マ]

困ったときの定番フレーズ

CD1-61

- お湯が出ません。

Méi yǒu rè shuǐ
没有热水。
[メイ イオウ ラー シゥイ]

- トイレの水が流れません。

Mǎ tǒng dǔ le
马桶堵了。
[マー トゥン ドゥー ラ]

- インターネットがつながりません。

Wǎng luò bù tōng
网络不通。
[ウアン ルオ ブー トゥン]

- カギをなくしてしまいました。

Yào shi diū le
钥匙丢了。
[ヤオ シ ディウ ラ]

- カギを部屋の中に置いてきてしまいました。

Yào shi wàng zài fáng jiān li le
钥匙忘在房间里了。
[ヤオ シ ウアン ヅァイ ファン ディエン リ ラ]

- ドアが開きません。

Mén dǎ bu kāi le
门打不开了。
[メン ダー ブ カイ ラ]

- 部屋がタバコ臭いのですが。

Fáng jiān li yǒu yān wèir
房间里有烟味儿。
[ファン ディエン リ イオウ イエン ウエル]

- 隣の部屋がうるさいです。

Gé bì fáng jiān hěn chǎo
隔壁房间很吵。
[ガー ビー ファン ディエン ヘン チャオ]

食　事

「食は中国にあり」といわれるほど、中華料理は素材・調理法・地域によって実にさまざまな種類があります。しっかり注文して、本場の料理を楽しみましょう。

店を探す

店を探す

CD1-62

1 近くに北京ダックレストランはありますか。

Qǐng wèn　fù jìn yǒu kǎo yā diàn ma

请问，附近有烤鸭店吗？

[チィン ウエン フゥー ヂィン イオウ カオ ヤー ディエン マ]

言い換え

上海料理店	shàng hǎi fēng wèir cān tīng 上海风味儿餐厅 [シァン ハイ フォン ウエル ツァン ティン]
四川料理店	sì chuān fēng wèir cān tīng 四川风味儿餐厅 [スー チゥアン フォン ウエル ツァン ティン]
日本料理店	rì cān tīng 日餐厅 [リー ツァン ティン]
餃子専門店	jiǎo zi guǎn 饺子馆 [ヂィアオ ヅ グゥアン]
肉まん専門店	bāo zi pù 包子铺 [バオ ヅ プゥー]
ラーメン店	miàn guǎn 面馆 [ミィエン グゥアン]
軽食屋	xiǎo chī diàn 小吃店 [シィアオ チー ディエン]
喫茶店	kā fēi tīng 咖啡厅 [カー フェイ ティン]
ファストフード	kuài cān tīng 快餐厅 [クゥアイ ツァン ティン]

言い換え ベジタリアンレストラン

sù shí cān tīng
素食餐厅
［スゥー シー ツァン ティン］

小籠包店

xiǎo lóng bāo diàn
小笼包店
［シィアオ ロゥン バオ ディエン］

ひとくちメモ

中国料理を楽しむ

中国のレストランは１つの料理の量が個別に決まっていて、お客さんの人数（１人前、２人前）に合わせて作る習慣はありません。地元の人たちは品数で調整をします。例えば、３人なら３品か４品を注文します。量の見当がつかなかったら、さりげなく他のお客さんのテーブルの料理を見てみましょう。

また、料理の塩分や辛さを控えめにしてもらいたいなら、注文するときに遠慮なく伝えてください。お店はきちんと対応してくれます。ここでは、その言い方を紹介しましょう。

辛さを控えめ

wēi là
微辣
［ウエイ ラー］

塩分控えめ

shǎo yán
少盐
［シァオ イエン］

糖分を控えめ

shǎo táng
少糖
［シァオ タン］

油を控えめ

shǎo yóu
少油
［シァオ イオウ］

レストランで

メニューを頼む

CD1-63

1 メニューをください。

Wǒ yào cài pǔ

我要菜谱。

[ウオ ヤオ ツァイ プゥー]

言い換え

日本語のメニュー	rì wén de cài pǔ 日文的菜谱 [リー ウエン ダ ツァイ プゥー]
英語のメニュー	yīng wén de cài pǔ 英文的菜谱 [イン ウエン ダ ツァイ プゥー]
お酒のメニュー	jiǔ shuǐ de cài pǔ 酒水的菜谱 [ジィウ シゥイ ダ ツァイ プゥー]
コース料理のメニュー	tào cān de cài pǔ 套餐的菜谱 [タオ ツァン ダ ツァイ プゥー]
前菜のメニュー	liáng cài de cài pǔ 凉菜的菜谱 [リィアン ツァイ ダ ツァイ プゥー]
主食のメニュー	zhǔ shí de cài pǔ 主食的菜谱 [ヂゥー シー ダ ツァイ プゥー]
温かい料理のメニュー	rè cài de cài pǔ 热菜的菜谱 [ラー ツァイ ダ ツァイ プゥー]
デザートのメニュー	tián diǎn de cài pǔ 甜点的菜谱 [ティエン ディエン ダ ツァイ プゥー]

飲み物を注文する

CD1-64

2 コーラをください。

Wǒ yào yì bēi kě lè

我要一杯可乐。

[ウオ ヤオ イー ベイ カー ラー]

言い換え

ビール	pí jiǔ **啤酒** [ピィー ヂィウ]
赤ワイン	hóng jiǔ **红酒** [ホン ヂィウ]
白ワイン	bái jiǔ **白酒** [バイ ヂィウ]
紹興酒	shào xīng jiǔ **绍兴酒** [シァオ シィン ヂィウ]
日本酒	rì běn jiǔ **日本酒** [リー ベン ヂィウ]
オレンジジュース	chéng zhī **橙汁** [チェン ヂー]
アップルジュース	píng guǒ zhī **苹果汁** [ピィン グゥオ ヂー]
白湯	bái kāi shuǐ **白开水** [バイ カイ シゥイ]

CD1-65

3 餃子をお願いします。

Wǒ yào yí fèn jiǎo zi
我要一份饺子。
[ウオ ヤオ イー フェン ヂィアオ ヅ]

言い換え

焼き餃子	guō tiē 锅贴 [グゥオ ティエ]
シュウマイ	shāo mài 烧麦 [シァオ マイ]
焼きそば	chǎo miàn 炒面 [チャオ ミィエン]
チャーハン	chǎo fàn 炒饭 [チャオ ファン]
どんぶりもの	gài fàn 盖饭 [ガイ ファン]
野菜入りお粥	cài zhōu 菜粥 [ツァイ ヂォウ]
小籠包	xiǎo lóng bāo 小笼包 [シィアオ ロゥン バオ]
ネギ入りナン	cōng huār bǐng 葱花儿饼 [ツォン ホゥアル ビン]

料理の具材を聞く

CD1-66

4 これは何の野菜ですか。

Zhèi shì shén me cài

这是什么菜？

[チェイ シー シェン マ ツァイ]

言い換え

肉	ròu 肉 [ロウ]
魚	yú 鱼 [ユイ]
スープ	tāng 汤 [タン]
油	yóu 油 [イオウ]
果物	shuǐ guǒ 水果 [シゥイ グゥオ]

人気の料理

CD1-67

前菜の盛り合わせ	pīn páir 拼盘儿 [ピィン パール]
ピータン	sōng huā dàn 松花蛋 [ソン ホゥア ダン]
クラゲの冷製	liáng bàn hǎi zhé 凉拌海蜇 [リィアン バン ハイ ヂァー]
フカヒレスープ	yú chì tāng 鱼翅汤 [ユイ チー タン]
ツバメの巣のスープ	yàn wō tāng 燕窝汤 [イエン ウオ タン]
北京ダック	běi jīng kǎo yā 北京烤鸭 [ベイ ヂィン カオ ヤー]
しゃぶしゃぶ	shuàn yáng ròu 涮羊肉 [シゥアン ヤン ロウ]
八宝菜	bā bǎo cài 八宝菜 [バー バオ ツァイ]
上海蟹	shàng hǎi dà zhá xiè 上海大闸蟹 [シァン ハイ ダー ヂャー シィエ]
かに玉	fú róng xiè 芙蓉蟹 [フゥー ロン シィエ]
ホイコーロー	huí guō ròu 回锅肉 [ホゥイ グゥオ ロウ]
チンジャオロース	qīng jiāo ròu sī 青椒肉丝 [チィン ヂィアオ ロウ スー]
豚肉のピリ辛炒め	yú xiāng ròu sī 鱼香肉丝 [ユイ シィアン ロウ スー]

麻婆豆腐	má pó dòu fu 麻婆豆腐 [マー ポー ドウ フゥ]
ナスの醤油煮	hóng shāo qié zi 红烧茄子 [ホン シァオ チィエ ヅ]
角煮	hóng shāo ròu 红烧肉 [ホゥン シァオ ロウ]
鶏肉とナッツの炒めもの	gōng bào jī dīng 宫爆鸡丁 [ゴゥン バオ ヂー ディン]
鶏肉のピリ辛炒め	là zǐ jī dīng 辣子鸡丁 [ラー ヅー ヂー ディン]
チャーハン	chǎo fàn 炒饭 [チャオ ファン]
肉まん	bāo zi 包子 [バオ ヅ]
餃子	jiǎo zi 饺子 [ヂィアオ ヅ]
焼き餃子	guō tiē 锅贴 [グゥオ ティエ]
春巻	chūn juǎnr 春卷儿 [チゥン ヂュアル]
ワンタン	hún tun 馄饨 [ホゥン トゥン]
シュウマイ	shāo mài 烧麦 [シァオ マイ]
杏仁豆腐	xìng rén dòu fu 杏仁豆腐 [シィン レン ドウ フゥ]
タピオカココナッツミルク	xī mǐ lù 西米露 [シー ミー ルー]

CD1-68

5 この料理は美味しいです。

Zhèi ge cài hěn hǎo chī

这个菜很好吃。

[ヂェイ ガ ツァイ ヘン ハオ チー]

言い換え

まあまあだ	yì bān 一般 [イー バン]
まずい	nán chī 难吃 [ナン チー]
辛い	là 辣 [ラー]
塩辛い	xián 咸 [シィエン]
甘い	tián 甜 [ティエン]
脂っこい	yóu nì 油腻 [イオウ ニー]
あっさりしている	qīng dàn 清淡 [チィン ダン]
さっぱりしている	shuǎng kǒu 爽口 [シゥアン コウ]

レストランで使う単語

CD1-69

お碗	wǎn 碗 [ウアン]
皿	pán zi 盘子 [パン ヅ]
箸	kuài zi 筷子 [クゥアイ ヅ]
スプーン	sháo zi 勺子 [シァオ ヅ]
フォーク	chā zi 叉子 [チァー ヅ]
ナプキン	cān jīn zhǐ 餐巾纸 [ツァン ヂィン ヂー]
店員	fú wù yuán 服务员 [フゥー ウー ユアン]

レストランでの定番フレーズ

CD1-70

● すみません、注文をお願いします。	Fú wù yuán　diǎn cài 服务员，点菜。 [フゥー ウー ユアン ディエン ツァイ]
● どれくらい時間がかかりますか。	Yào děng duō cháng shí jiān 要等多长时间？ [ヤオ デン ドゥオ チャン シー ジィエン]
● 先にスープをお願いします。	Xiān shàng tāng 先上汤。 [シィエン シァン タン]
● 主食は最後にしてください。	Zhǔ shí zuì hòu shàng 主食最后上。 [ヂゥー シー ヅゥイ ホウ シァン]
● 辛さは控え目にしてください。	Yào wēi là de 要微辣的。 [ヤオ ウエイ ラー ダ]
● お皿をもう１枚お願いします。	Zài gěi wǒ yí ge pán zi 再给我一个盘子。 [ヅァイ ゲイ ウオ イー ガ パン ヅ]
● この料理は注文していません。	Wǒ méi diǎn zhèi ge cài 我没点这个菜。 [ウオ メイ ディエン ヂェイ ガ ツァイ]
● 注文した料理がまだ来ません。	Wǒ diǎn de cài hái méi lái 我点的菜还没来。 [ウオ ディエン ダ ツァイ ハイ メイ ライ]
● 店員さん、お会計をお願いします。	Fú wù yuán　mǎi dān 服务员，买单。 [フゥー ウー ユアン マイ ダン]
● 会計は別々にお願いします。	Gè fù gè de 各付各的。 [ガー フゥー ガー ダ]

買い物

デパートやスーパー、自由市場から、チャイナドレス、お茶、アンティーク品の専門店まで、今の中国はショッピング天国です。日本にはない一品を探索するのも楽しいもの。自分が欲しい品物の単語をあらかじめ知っておくとスムーズな買い物ができます。

店を探す

店を探す

CD1-71

1 コンビニはどこですか。

Qǐng wèn　biàn lì diàn zài nǎr
请问，便利店在哪儿？
[チィン ウエン ビィエン リー ディエン ヅァイ ナール]

言い換え

スーパー	chāo shì 超市 [チャオ シー]
デパート	gòu wù zhōng xīn 购物中心 [ゴウ ウー ヂォン シィン]
自由市場	zì yóu shì chǎng 自由市场 [ヅー イオウ シー チャン]
本屋	shū diàn 书店 [シュー ディエン]
チャイナドレス専門店	qí páo diàn 旗袍店 [チー パオ ディエン]
お茶の専門店	chá yè diàn 茶叶店 [チァー イエ ディエン]
漢方薬局	yào fáng 药房 [ヤオ ファン]

売り場を探す

CD1-72

2 婦人服はどこですか。

Qǐng wèn nǚ zhuāng zài nǎr

请问，女装在哪儿？

［チィン ウエン ニュイ ヂゥアン ヅァイ ナール］

言い換え

紳士服	nán zhuāng 男装 ［ナン ヂゥアン］
化粧品	huà zhuāng yòng pǐn 化妆用品 ［ホゥア ヂゥアン イヨン ピィン］
子供服	ér tóng fú zhuāng 儿童服装 ［アル トゥン フウー ヂゥアン］
ベビー用品	yīng ér yòng pǐn 婴儿用品 ［イン アル イヨン ピィン］
アクセサリー	shì pǐn 饰品 ［シー ピィン］
宝石	huáng jīn zhū bǎo 黄金珠宝 ［ホゥアン チィン ヂゥー バオ］
生活用品	shēng huó yòng pǐn 生活用品 ［シェン ホゥオ イヨン ピィン］
電子ロッカー	diàn zǐ cún bāo guì 电子存包柜 ［ディエン ヅー ツゥン バオ グゥイ］

買い物をする

お土産を買う

CD1-73

1 ジャスミン茶はありますか。

Qǐng wèn yǒu huā chá ma
请问，有花茶吗？
[チィン ウエン イオウ ホゥア チャー マ]

言い換え

ウーロン茶	wū lóng chá 乌龙茶 [ウー ロゥン チャー]
紹興酒	shào xīng jiǔ 绍兴酒 [シァオ シィン チィウ]
月餅	yuè bǐng 月饼 [ユエ ビン]
甘栗	táng chǎo lì zi 糖炒栗子 [タン チャオ リー ヅ]
扇子	shàn zi 扇子 [シァン ヅ]
絵はがき	míng xìn piàn 明信片 [ミィン シィン ピィエン]
翡翠	fěi cuì 翡翠 [フェイ ツゥイ]

洋服を買う

CD1-74

2 Tシャツはありますか。

Qǐng wèn yǒu T xù shān ma
请问，有T恤衫吗？
[チィン ウエン イオウ ティー シュイ シァン マ]

言い換え

シャツ	chèn shān 衬衫 [チェン シァン]
セーター	máo yī 毛衣 [マオ イー]
カーディガン	kāi shēn máo yī 开身毛衣 [カイ シェン マオ イー]
ジャケット	jiā kè 茄克 [ヂィア カー]
コート	dà yī 大衣 [ダー イー]
スカート	qún zi 裙子 [チュン ヅ]
ワンピース	lián yī qún 连衣裙 [リィエン イー チュン]
ズボン	kù zi 裤子 [クゥー ヅ]

商品を選ぶときの 定番フレーズ　　CD1-75

● これを見せてもらえますか。	Gěi wǒ kàn kan zhèi ge hǎo ma 给我看看这个好吗? [ゲイ ウオ カン カン ヂェイ ガ ハオ マ]	
● これはまだありますか。	Zhèi ge hái yǒu ma 这个还有吗? [ヂェイ ガ ハイ イオウ マ]	
● これの産地はどこですか。	Zhèi shì nǎr chǎn de 这是哪儿产的? [ヂェイ シー ナール チャン ダ]	
● これは輸入品ですか。	Zhèi shì jìn kǒu de ma 这是进口的吗? [ヂェイ シー ヂィン コウ ダ マ]	
● 試着してもいいですか。	Kě yǐ shì shi ma 可以试试吗? [カー イー シー シ マ]	
● 見ているだけです。	Wǒ zhǐ shì kàn kan 我只是看看。 [ウオ ヂー シー カン カン]	
● また来ます。	Wǒ xià cì zài lái 我下次再来。 [ウオ シィア ツ ヅァイ ライ]	
● これをください。	Wǒ yào zhèi ge 我要这个。 [ウオ ヤオ ヂェイ ガ]	

● 衣料品店の単語

CD1-76

①ショーケース
bō li guì
玻璃柜
[ボー リ グゥイ]

②2割引き
dǎ bā zhé
打八折
[ダー バー ヂァー]

③セール品
dǎ zhé shāng pǐn
打折商品
[ダー ヂァー シァン ピィン]

④鏡
jìng zi
镜子
[ヂィン ヅ]

⑤試着室
shì yī shì
试衣室
[シー イー シー]

⑥ハンガー
yī jià
衣架
[イー ヂィア]

⑦レジ
shōu yín tái
收银台
[シォウ イン タイ]

⑧カウンター
guì tái
柜台
[グゥイ タイ]

⑨店員
fú wù yuán
服务员
[フゥー ウー ユアン]

デザインを聞く

CD1-77

3 Vネックのものはありますか。

Qǐng wèn yǒu jiān lǐng de ma
请问，有尖领的吗？
[チィン ウエン イオウ ディエン リン ダ マ]

言い換え

丸い襟	yuán lǐng 圆领 [ユアン リン]
ハイネック	gāo lǐng 高领 [ガオ リン]
スクエアネック	fāng lǐng 方领 [ファン リン]
蝶々型ネック	hú dié lǐng 蝴蝶领 [ホゥ ディエ リン]
半袖	duǎn xiù 短袖 [ドゥアン シィウ]
長袖	cháng xiù 长袖 [チャン シィウ]
袖なし	wú xiù 无袖 [ウー シィウ]
七分袖	qī fēn xiù 七分袖 [チー フェン シィウ]

生地を聞く

CD1-78

4 これはウール100%ですか。

Qǐng wèn zhèi shì chún máo de ma
请问，这是纯毛的吗？
[チィン ウエン ヂェイ シー チゥン マオ ダ マ]

言い換え

麻	má 麻 [マー]
綿100%	chún mián 纯棉 [チゥン ミィエン]
ウール	yáng máo 羊毛 [ヤン マオ]
アンゴラ	tù máo 兔毛 [トゥー マオ]
カシミヤ	yáng róng 羊绒 [ヤン ロゥン]
シルク	sī chóu 丝绸 [スー チォウ]
化学繊維	huà xiān 化纤 [ホゥア シィエン]
毛皮	máo pí 毛皮 [マオ ピィー]

色を聞く

CD1-79

5 これの赤はありますか。

Qǐng wèn　zhèi ge yǒu hóng sè de ma

请问，这个有红色的吗？

[チィン ウエン ヂェイ ガ イオウ ホン スァ ダ マ]

言い換え

白	bái 白 [バイ]
黒	hēi 黑 [ヘイ]
青	lán 蓝 [ラン]
緑	lǜ 绿 [リュイ]
紫	zǐ 紫 [ヅー]
茶	zōng 棕 [ヅゥン]
ピンク	fěn hóng 粉红 [フェン ホン]
ベージュ	mǐ huáng 米黄 [ミー ホゥアン]

サイズを聞く

CD1-80

6 これのSサイズのものはありますか。

Qǐng wèn zhèi ge yǒu S de ma

请问，这个有S的吗？

[チィン ウエン ヂェイ ガ イオウ エス ダ マ]

言い換え

少し大きいサイズ	dà yí hào 大一号 [ダー イー ハオ]
少し小さいサイズ	xiǎo yí hào 小一号 [シィアオ イー ハオ]
少し大きい	dà yì diǎnr 大一点儿 [ダー イー ディアル]
少し小さい	xiǎo yì diǎnr 小一点儿 [シィアオ イー ディアル]
少しゆとりのある	féi yì diǎnr 肥一点儿 [フェイ イー ディアル]
少し細い	shòu yì diǎnr 瘦一点儿 [ショウ イー ディアル]
少し長い	cháng yì diǎnr 长一点儿 [チャン イー ディアル]
少し短い	duǎn yì diǎnr 短一点儿 [ドゥアン イー ディアル]

バッグを買う

CD1-81

7 バッグはありますか。

Qǐng wèn　yǒu pí bāo ma

请问，有皮包吗？

[チィン ウエン イオウ ピィー バオ マ]

言い換え

リュック	bēi bāo **背包** [ベイ バオ]
ハンドバッグ	shǒu tí bāo **手提包** [シォウ ティー バオ]
キャリーバッグ	lā gǎnr xiāng **拉杆儿箱** [ラー ガル シィアン]

ひとくちメモ

北京でのショッピング

北京の繁華街と言えば王府井です。市内のど真ん中という申し分のない立地と、終日、車両通行禁止の歩行者天国であることから、近年、大型デパートやショッピングモールが相次ぎオープンし、観光客にも地元の人々にも大人気のスポットになっています。

そのスケールの大きさに驚かされる「**東方新天地**」、派手な外観で目立っている「**王府井百货大楼**」。ショッピングもグルメももちろん、見て歩くだけでも十分楽しめます。

王府井から少し西に行くと、若者のショッピング楽園と呼ばれる**西单大街**があります。どちらも今の北京を体感できるお勧めスポットです。

靴を買う

CD1-82

8 スニーカーはありますか。

Qǐng wèn yǒu yùn dòng xié ma
请问，有运动鞋吗？
[チィン ウエン イオウ ユン ドゥン シィエ マ]

言い換え

ブーツ	xuē zi 靴子 [シュエ ヅ]
ハイヒール	gāo gēn xié 高跟鞋 [ガオ ゲン シィエ]
スリッパ	tuō xié 拖鞋 [トゥオ シィエ]
サンダル	liáng xié 凉鞋 [リィアン シィエ]

ひとくちメモ

中国のデパートでお買い物

日本のデパートでは、商品を購入した売り場で会計をしますが、中国のデパートでは、フロアに共同レジ「收银台 shōu yín tái」を設けていて、そのフロアにある店舗の会計を一括して取り扱っています。

売り場の店員がまず伝票を書き、お客さんはその伝票を共同レジに持って行きます。そこには会計係の女性が常駐しているので、伝票と代金を渡して会計手続きをしてもらいます。その後、ハンコが押された伝票を受け取り、再び売り場に戻って、それを店員に渡して商品を受け取るという流れです。

なお、生鮮食品を扱うスーパーマーケットは日本と同じように会計をします。

CD1-83

9 財布はありますか。

Qǐng wèn yǒu qián bāo ma
请问，有钱包吗？
[チィン ウエン イオウ チィエン バオ マ]

言い換え

ハンカチ	shǒu juàn 手绢 [シォウ チュアン]
手袋	shǒu tào 手套 [シォウ タオ]
マフラー	wéi jīn 围巾 [ウエイ ヂィン]
帽子	mào zi 帽子 [マオ ヅ]
サングラス	mò jìng 墨镜 [モー ヂィン]
ネクタイ	lǐng dài 领带 [リン ダイ]
傘	yǔ sǎn 雨伞 [ユイ サン]
日傘	zhē yáng sǎn 遮阳伞 [ヂァー ヤン サン]

アクセサリーを買う

CD1-84

10 ネックレスはありますか。

Qǐng wèn, yǒu xiàng liàn ma

请问，有项链吗？

[チィン ウエン イオウ シィアン リィエン マ]

言い換え

指輪	jiè zhi 戒指 [チィエ チ]
ピアス、イヤリング	ěr huán 耳环 [アル ホゥアン]
ブレスレット	shǒu liàn 手链 [シォウ リィエン]
バングル	shǒu zhuó 手镯 [シォウ チゥオ]
アンクレット	jiǎo liàn 脚链 [チィアオ リィエン]
ブローチ	xiōng zhēn 胸针 [シィオン チェン]
カフス	xiù kòu 袖扣 [シィウ コウ]
ネクタイピン	lǐng dài jiā 领带夹 [リン ダイ チィア]

CD1-85

11 香水はありますか。

Qǐng wèn yǒu xiāng shuǐ ma

请问，有香水吗？

[チィン ウエン イオウ シィアン シゥイ マ]

言い換え

クレンジング	jié miàn gāo 洁面膏 [ヂィエ ミィエン ガオ]
洗顔料	xǐ miàn nǎi 洗面奶 [シー ミィエン ナイ]
化粧水	huà zhuāng shuǐ 化妆水 [ホゥア ヂゥアン シゥイ]
乳液	rǔ yè 乳液 [ルゥー イエ]
美容液	měi róng yè 美容液 [メイ ロゥン イエ]
保湿クリーム	bǎo shī shuāng 保湿霜 [バオ シー シゥアン]
ファンデーション	fěn dǐ shuāng 粉底霜 [フェン ディー シゥアン]
チーク	sāi hóng 腮红 [サイ ホン]
アイシャドウ	yǎn yǐng 眼影 [イエン イン]
アイブロウ	méi bǐ 眉笔 [メイ ビー]

言い換え

マスカラ	jié máo gāo 睫毛膏 [ヂィエ マオ ガオ]
口紅	kǒu hóng 口红 [コウ ホン]
リップクリーム	chún gāo 唇膏 [チゥン ガオ]
マニキュア	zhī jia yóu 指甲油 [ヂー ヂィア イオウ]
日焼け止めクリーム	fáng shài shuāng 防晒霜 [ファン シャイ シゥアン]
パック	miàn mó 面膜 [ミィエン モー]

CD1-86

12 筆はありますか。

Qǐng wèn yǒu máo bǐ ma
请问，有毛笔吗？
[チィン ウエン イオウ マオ ビー マ]

言い換え

封筒	xìn fēng 信封 [シィン フェン]
便せん	xìn zhǐ 信纸 [シィン ヂー]
ハガキ	míng xìn piàn 明信片 [ミィン シィン ピィエン]
鉛筆	qiān bǐ 铅笔 [チィエン ビー]
万年筆	gāng bǐ 钢笔 [ガン ビー]
ボールペン	yuán zhū bǐ 圆珠笔 [ユアン ヂゥー ビー]
シャーペン	zì dòng qiān bǐ 自动铅笔 [ヅー ドゥン チィエン ビー]
ノート	bǐ jì běn 笔记本 [ビー ヂー ベン]

日用品を買う

CD1-87

13 歯ブラシはありますか。

Qǐng wèn　yǒu yá shuā ma
请问，有牙刷吗？
[チィン ウエン イオウ ヤー シゥア マ]

言い換え

歯磨き	yá gāo 牙膏 [ヤー ガオ]
電池	diàn chí 电池 [ディエン チー]
石けん	xiāng zào 香皂 [シィアン ヅァオ]
タオル	máo jīn 毛巾 [マオ ヂィン]
バスタオル	yù jīn 浴巾 [ユイ ヂィン]
シャンプー	xǐ fà lù 洗发露 [シー ファー ルー]
リンス	fà rǔ 发乳 [ファー ルゥー]
生理用品	wèi shēng jīn 卫生巾 [ウエイ ション ヂィン]

ラッピングを頼む

CD1-88

14 別々に包んでください。

Qǐng fēn kāi bāo zhuāng
请分开包装。
[チィン フェン カイ バオ ヂゥアン]

言い換え

一緒に包む	zhuāng zài yì qǐ **装在一起** [ヂゥアン ヅァイ イー チー]
紙袋に入れる	zhuāng zǎi zhǐ dài li **装在纸袋里** [ヂゥアン ヅァイ チー ダイ リ]
袋をもう一枚ください	zài gěi wǒ yí ge dài zi **再给我一个袋子** [ヅァイ ゲイ ウオ イー ガ ダイ ヅ]

ひとくちメモ

北京のお土産スポット

王府井と西単大街の間に位置するのが天安門広場で、その最南端に「前门大街」と呼ばれる大通りがあります。昔、北京一の繁華街と言われ、北京を代表する老舗である北京ダックの「全聚德」、漢方薬の「同仁堂」、チャイナドレスの「瑞扶祥」などがここに店を構えています。

前门大街から西に入ると、「大栅栏」と呼ばれる通りがあり、20 世紀初頭の雰囲気を色濃く残す街並みが魅力的です。通り沿いには、中国の伝統工芸品を売る店がずらりと並んでいます。昔の北京の風情を味わいながら、お土産を物色するのに最高の場所です。

支払いのときの定番フレーズ

CD1-89

● 全部でいくらですか。	Yí gòng duō shao qián 一共多少钱? [イー ゴゥン ドゥオ シァオ チィエン]
● カードが使えますか。	Kě yǐ shuā kǎ ma 可以刷卡吗? [カー イー シゥア カー マ]
● クレジットカードが使えますか。	Kě yǐ yòng xìn yòng kǎ ma 可以用信用卡吗? [カー イー イヨン シィン イヨン カー マ]
● 現金で支払います。	Wǒ fù xiàn jīn 我付现金。 [ウオ フゥー シィエン ディン]
● 細かいお金がありません。	Wǒ méi yǒu líng qián 我没有零钱。 [ウオ メイ イオウ リン チィエン]
● 小銭でお願いします。	Qǐng zhǎo wǒ líng qián 请找我零钱。 [チィン ヂャオ ウオ リン チィエン]
● おつりが間違っています。	Qián zhǎo cuò le 钱找错了。 [チィエン ヂャオ ツゥオ ラ]
● レシートをください。	Wǒ yào fā piào 我要发票。 [ウオ ヤオ ファー ピィアオ]

ひとくち メモ

中国茶

中国にはたくさんの種類のお茶がありますが、実は最もよく飲まれているのはウーロン茶ではなく、ジャスミン茶です。

中国人は蓋付きの大きな湯呑みの中に直接、茶葉を入れ、熱湯を注ぎ、蓋をします。茶葉が沈んでいくのを待って飲み始めます。ひと口、ふた口と飲んだら、蓋をして、しばらくしてまたちびちびと飲みます。お茶をわざと少し残しておき、またお湯を注ぎます。こうして何度も繰り返すようにしてお茶を楽しむのです。

観 光

中国は全国に 35 の世界遺産を擁する観光大国です。また、国土が広いので、それぞれの地方で独特の文化や風土を楽しめるのも魅力です。北京や上海、大連、広州、厦門など、街歩きが楽しい都市もあります。基本フレーズを使いこなして観光を満喫しましょう。

観光案内所で

観光名所への行き方を聞く

CD2-01

1 天壇公園にはどう行けばいいですか。

Qǐng wèn　qù tiān tán gōng yuán zěn me zǒu

请问，去天坛公园怎么走？

[チィン ウエン チュイ ティエン タン ゴゥン ユアン ヅェン マ ヅォウ]

言い換え

万里の長城	cháng chéng **长城** [チャン チェン]
日壇公園	rì tán gōng yuán **日坛公园** [リー タン ゴゥン ユアン]
月壇公園	yuè tán gōng yuán **月坛公园** [ユエ タン ゴゥン ユアン]
地壇公園	dì tán gōng yuán **地坛公园** [ディー タン ゴゥン ユアン]
王府井	wáng fǔ jǐng **王府井** [ウアン フゥー チィン]
明の十三陵	shí sān líng **十三陵** [シー サン リン]
頤和園	yí hé yuán **颐和园** [イー ハー ユアン]
故宮博物院	gù gōng bó wù yuàn **故宫博物院** [グー ゴゥン ボー ウー ユアン]

観光名所の単語

CD2-02

鼓楼（北京）	gǔ lóu 鼓楼 グー ロウ
ワイタン（上海）	wài tān 外滩 ワイ タン
旧フランス租界（上海）	fǎ guó zū jiè 法国租界 ファー グゥオ ヅゥ ディエ
新天地（上海）	xīn tiān dì 新天地 シィン ティエン ディー
武侯祠（成都）	wǔ hóu cí 武侯祠 ウー ホウ ツー
沙面（広州）	shā miàn 沙面 シャー ミィエン
石林（雲南省）	shí lín 石林 シー リン
星海広場（大連）	xīng hǎi guǎng chǎng 星海广场 シィン ハイ グゥアン チャン
土楼（福建省）	tǔ lóu 土楼 トゥー ロウ
兵馬俑（西安）	bīng mǎ yǒng 兵马俑 ビン マー イヨン
ポタラ宮（ラサ）	bù dá lā gōng 布达拉宫 ブーダー ラー ゴゥン

目的地の場所を聞く

CD2-03

2 このあたりに美術館はありますか。

Qǐng wèn fù jìn yǒu měi shù guǎn ma

请问，附近有美术馆吗？

[チィン ウエン フゥー ヂィン イオウ メイ シュー グゥアン マ]

言い換え

博物館	bó wù guǎn 博物馆 [ボー ウー グゥアン]
自由市場	zì yóu shì chǎng 自由市场 [ヅー イオウ シー チャン]
ショッピングセンター	gòu wù zhōng xīn 购物中心 [ゴウ ウー ヂォン シィン]
バスセンター	gōng jiāo chē zhàn 公交车站 [ゴゥン ヂィアオ チャー ヂャン]
鉄道駅	huǒ chē zhàn 火车站 [ホゥオ チャー ヂャン]
地下鉄の駅	dì tiě zhàn 地铁站 [ディー ティエ ヂャン]
お寺	sì miào 寺庙 [スー ミィアオ]
タクシー乗り場	chū zū chē zhàn 出租车站 [チゥー ヅゥ チャー ヂャン]

希望を伝える

CD2-04

3 サッカーの試合を見たいです。

Wǒ xiǎng kàn zú qiú bǐ sài
我想看足球比赛。
[ウオ シィアン カン ヅゥ チィウ ビー サイ]

言い換え

京劇	jīng jù **京剧** [ヂィン ヂュイ]
雑技	zá jì **杂技** [ザー ヂー]
バスケットボールの試合	lán qiú bǐ sài **篮球比赛** [ラン チィウ ビー サイ]
映画	diàn yǐng **电影** [ディエン イン]

ひとくちメモ

北京の観光ツアー

北京の数多くの世界遺産、観光スポットの中で、日本人に最も人気があるのは万里の長城、故宮、天安門広場と天壇公園です。これらの観光スポットを日本語ができるバスガイドさんが案内する一日ツアーが大人気です。ホテルからの送迎、昼食付きで、約9時間かけて回ります。料金は約700元（約12,000円）。

他に、北京市内のスポットを効率よく回る半日ツアーもあり、料金は約450元（約8,000円）です。また、昔の街並みが残る胡同（フートン）を訪れるツアーも人気です。北京はとても大きな都市です。駆け足で回るにしてもそれなりの時間がかかります。

乗り物を利用する

電車に乗る

CD2-05

1 建国門まで１枚ください。

Mǎi yì zhāng dào jiàn guó mén de

买一张到建国门的。

[マイ イー チャン ダオ ヂィエン グゥオ メン ダ]

言い換え	
前門まで２枚	**liǎng zhāng dào qián mén de** **两张到前门的。** [リィアン ヂャン ダオ チィエン メン ダ]
静安寺まで３枚	**sān zhāng dào jìng ān sì de** **三张到静安寺的。** [サン ヂャン ダオ ヂィン アン スー ダ]
IC カード（北京）	**yì kǎ tōng** **一卡通** [イー カー トゥン]
1日切符	**yí rì piào** **一日票** [イー リー ピィアオ]
3日切符	**sān rì piào** **三日票** [サン リー ピィアオ]

ひとくちメモ

北京の地下鉄

現在の北京地下鉄は全部で 18 路線があります。ほとんどの列車に日本と同じ電光掲示板による案内表示があります。JR の Suica のような「市政交通一卡通」略して「一卡通」と呼ばれる IC カードが導入されています。初回購入時に 20 元（約 350 円）のデポジットが必要で、購入後はチャージをして継続使用できます。IC カードが必要なくなったらデポジットと残高を返金してもらえます。IC カードは地下鉄の運賃の支払いだけではなく、路線バス、タクシー、駐車場、映画館、公衆電話の支払いにも使えて便利です。

タクシーに乗る

CD2-06

2 最寄りの病院までお願いします。

Qù zuì jìn de yī yuàn
去最近的医院。
[チュイ ヅゥイ ディン ダ イー ユアン]

言い換え

スーパー	chāo shì 超市 [チャオ シー]
交番	pài chū suǒ 派出所 [パイ チゥー スゥオ]
郵便局	yóu jú 邮局 [イオウ チュイ]
銀行	yín háng 银行 [イン ハン]

ひとくちメモ
タクシー

中国では、流しのタクシーは道路側に手を伸ばして止めます。ホテルでは、フロント係やドアマンに頼んで呼んでもらうことができます。

中国のタクシーのドアは自動ではないので、自分で開け閉めしなければなりません。現地の中国人は助手席に座るのが一般的で、初対面の運転手でも友達のようにおしゃべりをしながら目的地までの時間を過ごします。海外からの旅行者なら、後部座席に座ってももちろん OK です。忘れ物など何かあったときのため、降車の際には必ずレシートをもらってください。

一日ツアーの定番フレーズ

CD2-07

● どんな観光スポットに行きますか。

Qù nǎxiē jǐng diǎn

去哪些景点？

[チュイ ネイ シィエ ディン ディエン]

● 昼食付きですか。

Dài wǔ cān ma

带午餐吗？

[ダイ ウー ツァン マ]

● 入場券込みですか。

Bāo kuò mén piào ma

包括门票吗？

[バオ クゥオ メン ピィアオ マ]

● フリータイムはありますか。

Yǒu zì yóu huó dòng de shí jiān ma

有自由活动的时间吗？

[イオウ ヅー イオウ ホゥオ ドゥン ダ シー ディエン マ]

● 集合は何時ですか。

Jǐ diǎn jí hé

几点集合？

[ヂー ディエン ヂー ハー]

● どこで集合ですか。

Zài nǎr jí hé

在哪儿集合？

[ヅァイ ナール ヂー ハー]

● 割引がありますか。

Néng dǎ zhé ma

能打折吗？

[ネン ダー ヂァー マ]

● 日程はハードですか。

Rì chéng jǐn zhāng ma

日程紧张吗？

[リー チェン ディン ヂャン マ]

乗り物を利用するための定番フレーズ

CD2-08

- 切符売り場はどこですか。
  Shòu piào chù zài nǎr
  售票处在哪儿?
  [シォウ ピィアオ チゥー ヅァイ ナール]

- 自動券売機はどこですか。
  Zì dòng shòu piào jī zài nǎr
  自动售票机在哪儿?
  [ヅー ドゥン シォウ ピィアオ ヂー ヅァイ ナール]

- チャージをしたいです。
  Wǒ xiǎng chōng zhí
  我想充值。
  [ウオ シィアン チゥン ヂー]

- 王府井まで何駅ですか。
  Dào wáng fǔ jǐng hái yǒu jǐ zhàn
  到王府井还有几站?
  [ダオ ウアン フゥー ディン ハイ イオウ ヂー ヂャン]

- 王府井までの切符を１枚ください。
  Wǒ yào yì zhāng dào wáng fǔ jǐng de piào
  我要一张到王府井的票。
  [ウオ ヤオ イー ヂャン ダオ ウアン フゥー ディン ダ ピィアオ]

- どこで乗り換えですか。
  Zài nǎr huàn chē
  在哪儿换车?
  [ヅァイ ナール ホゥアン チャー]

- どこで降りるのですか。
  Zài nǎr xià chē
  在哪儿下车?
  [ヅァイ ナール シィア チャー]

- 降ります。
  Wǒ yào xià chē
  我要下车。
  [ウオ ヤオ シィア チャー]

観光スポットで

チケットを買う

CD2-09

1 大人1枚、お願いします。

Wǒ yào yì zhāng chéng rén piào

我要一张成人票。

[ウオ ヤオ イー ヂャン チェン レン ピィアオ]

言い換え

子供（チケット） ér tóng piào **儿童票** [アル トゥン ピィアオ]

学生（チケット） xué shēng piào **学生票** [シュエ ション ピィアオ]

許可を得る

CD2-10

2 入ってもいいですか。

Kě yǐ jìn qù ma

可以进去吗？

[カー イー ヂィン チュイ マ]

言い換え

触る mō **摸** [モー]

バッグを持って入る dài bāo jìn qù **带包进去** [ダイ バオ ヂィン チュイ]

再入場する chóng fù rù chǎng **重复入场** [チゥン フゥー ルゥー チャン]

写真を撮る

CD2-11

3 写真を撮ってもいいですか。

Kě yǐ pāi zhào ma

可以拍照吗？

[カー イー パイ チャオ マ]

言い換え

撮影する	lù xiàng 录像 [ルー シィアン]
フラッシュを使う	yòng shǎn guāng dēng 用闪光灯 [イヨン シァン グゥアン デン]
ここで写真を撮る	zài zhèr pāi zhào 在这儿拍照 [ヅァイ チェール パイ チャオ]
写真を撮ってもらう	bāng wǒ pāi zhào 帮我拍照 [バン ウオ パイ チャオ]
一緒に写真を撮る	yì qǐ pāi zhào 一起拍照 [イー チー パイ チャオ]
これを入れて撮る	bǎ zhèi ge pāi jìn qù 把这个拍进去 [バー チェイ ガ パイ チィン チュイ]
もう１枚撮る	zài pāi yì zhāng 再拍一张 [ヅァイ パイ イー チャン]

観光スポットで使う 定番フレーズ

CD2-12

● 観光地図はありますか。	Yǒu dǎo yóu tú ma 有导游图吗? [イオウ ダオ イオウ トゥー マ]
● ガイドブックはありますか。	Yǒu dǎo yóu shǒu cè ma 有导游手册吗? [イオウ ダオ イオウ シォウ ツァー マ]
● 日本語版はありますか。	Yǒu rì wén de ma 有日文的吗? [イオウ リー ウエン ダ マ]
● ここは無料ですか。	Zhèi li miǎn fèi ma 这里免费吗? [ヂェイ リ ミィエン フェイ マ]
● 料金はどこで支払いますか。	Zài nǎr jiāo qián 在哪儿交钱? [ヅァイ ナール ヂィアオ チィエン]
● 見学にはどれくらい時間がかかりますか。	Cān guān yào duō cháng shí jiān 参观要多长时间? [ツァン グゥアン ヤオ ドゥオ チャン シー ディエン]
● 解説が付いていますか。	Yǒu jiě shuō ma 有解说吗? [イオウ ヂィエ シゥオ マ]
● コインロッカーはありますか。	Yǒu diàn zǐ cún bāo guì ma 有电子存包柜吗? [イオウ ディエン ヅー ツゥン バオ グゥイ マ]

京劇を見る

CD2-13

4 中央席をください。

Wǒ yào zhōng jiān de zuò wèi

我要中间的座位。

[ウオ ヤオ ヂォン ヂィエン ダ ヅゥオ ウエイ]

言い換え

前方席	kào qián miàn de zuò wèi **靠前面的座位** カオ チィエン ミィエン ダ ヅゥオ ウエイ
後方席	kào hòu miàn de zuò wèi **靠后面的座位** カオ ホウ ミィエン ダ ヅゥオ ウエイ
VIP 席	guì bīn xí **贵宾席** グゥイ ビン シー
椅子席	biāo zhǔn zuò **标准座** ビィアオ ヂゥン ヅゥオ
日本語翻訳機	tóng shēng chuán yì jī **同声传译机** トゥン ション チゥアン イー ヂー

ひとくちメモ

京劇を楽しむ

京劇は、歌唱、セリフ、しぐさ、立ち回りの四大要素を併せ持ち、それぞれに独自の表現法があります。きらびやかな衣装と民族楽器で演奏される独特な音楽と旋律は非常にインパクトがあります。初心者はまず全体の雰囲気を楽しみながら、俳優の立ち回りに注意して観ましょう。伴奏と俳優の動きがピタリと止まったときが拍手のタイミングです。「好 ハオ」と大きなかけ声をかける人もいます。その人は京劇通です。

演目は中国の歴史上の人物や出来事を題材にした物語で、日本人にとって親しみのあるものもたくさんあります。

観光スポットで見かける表示

CD2-14

写真撮影禁止	jìn zhǐ pāi zhào 禁止拍照 [チィン チー パイ チャオ]
フラッシュ禁止	qǐng wù shǐ yòng shǎn guāng dēng 请勿使用闪光灯 [チィン ウー シー イヨン シァン グゥアン デン]
入場無料	mén piào miǎn fèi 门票免费 [メン ピィアオ ミィエン フェイ]
案内所	zī xún chù 咨询处 [ヅー シュン チゥー]
開館	kāi guǎn 开馆 [カイ グゥアン]
閉館	bì guǎn 闭馆 [ビー グゥアン]
危険	wēi xiǎn 危险 [ウエイ シィエン]
禁煙	jìn zhǐ xī yān 禁止吸烟 [チィン チー シー イエン]
立ち入り禁止	jìn zhǐ rù nèi 禁止入内 [チィン チー ルゥー ネイ]
転倒注意	xiǎo xīn dì huá 小心地滑 [シィアオ シィン ディー ホゥア]
携帯電話使用禁止	qǐng wù shǐ yòng shǒu jī 请勿使用手机 [チィン ウー シー イヨン シォウ チー]
ドアに注意	xiǎo xīn jiā shǒu 小心夹手 [シィアオ シィン チィア シォウ]
飲食禁止	qǐng wù yǐn shí 请勿饮食 [チィン ウー イン シー]

トラブル

旅行にトラブルは付きものです。貴重品の紛失や盗難、事故に遭ったり、病気になったときに役立つ表現をまとめて紹介します。備えあれば憂いなし、冷静に対応できます。通じなければ、この本を見せればOKです。

» トラブルに直面！

とっさの一言

CD2-15

助けて！	Jiù mìng a 救命啊！ [ディウ ミィン ア]
誰か来て！	Lái rén a 来人啊！ [ライ レン ア]
泥棒だ！	Zhuā xiǎo tōu 抓小偷！ [ヂュア シィアオ トウ]
痴漢だ！	Liú máng 流氓！ [リウ マン]
彼を捕まえて！	Zhuā zhù tā 抓住他！ [ヂュア ヂュー ター]
逃げるな！	Zhàn zhù 站住！ [ヂャン ヂュー]
何をするんだ！	Nǐ gàn shén me 你干什么！ [ニー ガン シェン マ]
火事だ！	Zháo huǒ le 着火了！ [ヂャオ ホゥオ ラ]

助けを呼ぶ

CD2-16

1 警察を呼んで！

Jiào jǐng chá
叫警察！
[ヂィアオ ヂィン チァー]

言い換え

救急車	jiù hù chē 救护车 [ヂィウ ホゥ チャー]
消防車	jiù huǒ chē 救火车 [ヂィウ ホゥオ チャー]
通訳	fān yì 翻译 [ファン イー]
医者	yī shēng 医生 [イー ション]
ガイド	dǎo yóu 导游 [ダオ イヨウ]
家族	jiā li rén 家里人 [ヂィア リ レン]
日本語が話せる人	huì jiǎng rì wén de rén 会讲日文的人 [ホゥイ ヂィアン リー ウエン ダ レン]
だれか	rén 人 [レン]

盗難に遭った

CD2-17

2 バッグを盗まれました。

Wǒ de pí bāo bèi tōu le

我的皮包被偷了。

[ウオ ダ ピー バオ ベイ トウ ラ]

言い換え

財布	qián bāo **钱包** [チィエン バオ]
携帯電話	shǒu jī **手机** [シォウ ヂー]
クレジットカード	xìn yòng kǎ **信用卡** [シィン イヨン カー]
スマホ	zhì néng shǒu jī **智能手机** [ヂー ネン シォウ ヂー]
カメラ	zhào xiàng jī **照相机** [ヂャオ シィアン ヂー]

ひとくちメモ

警察・救急車を呼ぶ

中国では、警察に通報することは「报警 bào jǐng バオ ヂィン」と言います。番号は日本と同じ 110 番で、「110 yāo yāo líng ヤオ ヤオ リン」と発音します。警察に通報したい場合には「我要报警。Wǒ yào bào jǐng ウオ ヤオ バオ ヂィン」または「我要打 110。Wǒ yào dǎ yāo yāo líng ウオ ヤオ ダー ヤオ ヤオ リン」と言ってください。携帯電話からでも、固定電話や公衆電話からでも、そのままこれらの番号を押せばつながります。

ちなみに、救急車の番号は「120 yāo èr líng ヤオ アル リン」です。

紛失した

CD2-18

3 パスポートをなくしました。

Wǒ de hù zhào diū le

我的护照丢了。

[ウオ ダ ホゥ ヂャオ ディウ ラ]

言い換え

カギ	yào shi 钥匙 [ヤオ シ]
航空券	jī piào 机票 [ヂー ピィアオ]
腕時計	shǒu biǎo 手表 [シォウ ビィアオ]
ビデオ	shè xiàng jī 摄像机 [シァー シィアン ヂー]
ラップトップ	bǐ jì běn diàn nǎo 笔记本电脑 [ビー ヂー ベン ディエン ナオ]

トラブルに遭ったときの**定番フレーズ**

CD2-19

● どうすればいいですか。	Wǒ gāi zěn me bàn 我该怎么办? [ウオ ガイ ヅェン マ バン]
● どこに行けばいいですか。	Wǒ gāi qù nǎr 我该去哪儿? [ウオ ガイ チュイ ナール]
● 私は中国語が話せません。	Wǒ bú huì jiǎng zhōng wén 我不会讲中文。 [ウオ ブー ホゥイ ヂィアン ヂォン ウエン]
● 日本語が話せる人がいますか。	Yǒu huì jiǎng rì wén de rén ma 有会讲日文的人吗? [イオウ ホゥイ ヂィアン リー ウエン ダ レン マ]
● 警察に通報したいです。	Wǒ xiǎng bào jǐng 我想报警。 [ウオ シィアン バオ ヂィン]
● 交番に連れて行ってください。	Kè yǐ dài wǒ qù pài chū suǒ ma 可以带我去派出所吗? [カー イー ダイ ウオ チュイ パイ チゥー スゥオ マ]
● 電話を借りてもいいですか。	Kě yǐ jiè wǒ diàn huà yòng yí xià ma 可以借我电话用一下吗? [カー イー ヂィエ ウオ ディエン ホゥア イヨン イー シィア マ]
● 私はやっていません。	Zhèi bú shì wǒ gàn de 这不是我干的。 [ヂェイ ブー シー ウオ ガン ダ]

怪我をしたときの 定番フレーズ

CD2-20

- 怪我をしました。
  Wǒ shòu shāng le
  我受伤了。
  [ウオ ショウ シァン ラ]

- 転びました。
  Wǒ shuāi dǎo le
  我摔倒了。
  [ウオ シゥアイ ダオ ラ]

- 交通事故に遭いました。
  Wǒ chū chē huò le
  我出车祸了。
  [ウオ チゥー チャー ホゥオ ラ]

- 車にぶつけられました。
  Wǒ bèi chē zhuàng le
  我被车撞了。
  [ウオ ベイ チャー ヂゥアン ラ]

- ここが痛いです。
  Zhèr téng
  这儿疼。
  [ヂェール テン]

- ここが出血しました。
  Zhèr liú xuè le
  这儿流血了。
  [ヂェール リウ シュエ ラ]

- 動けないんです。
  Wǒ zǒu bu liǎo le
  我走不了了。
  [ウオ ヅォウ ブ リィアオ ラ]

- 医療保険に入っています。
  Wǒ yǒu yī liáo bǎo xiǎn
  我有医疗保险。
  [ウオ イヨウ イー リィアオ バオ シィエン]

病院で

症状を伝える

CD2-21

1

頭が痛いです。

Wǒ tóu téng

我头疼。

[ウオ トウ テン]

言い換え

歯	yá 牙 [ヤー]
足（足首より上）	tuǐ 腿 [トゥイ]
お腹	dù zi 肚子 [ドゥー ヅ]

発症時期を伝える

CD2-22

2

昨日からです。

Zuó tiān kāi shǐ de

昨天开始的。

[ヅゥオ ティエン カイ シー ダ]

言い換え

おととい	qián tiān 前天 [チィエン ティエン]
今朝	jīn tiān zǎo shang 今天早上 [ヂィン ティエン ヅァオ シァン]
1週間前	yì xīng qī qián 一星期前 [イー シィン チー チィエン]

身体部位の単語

CD2-23

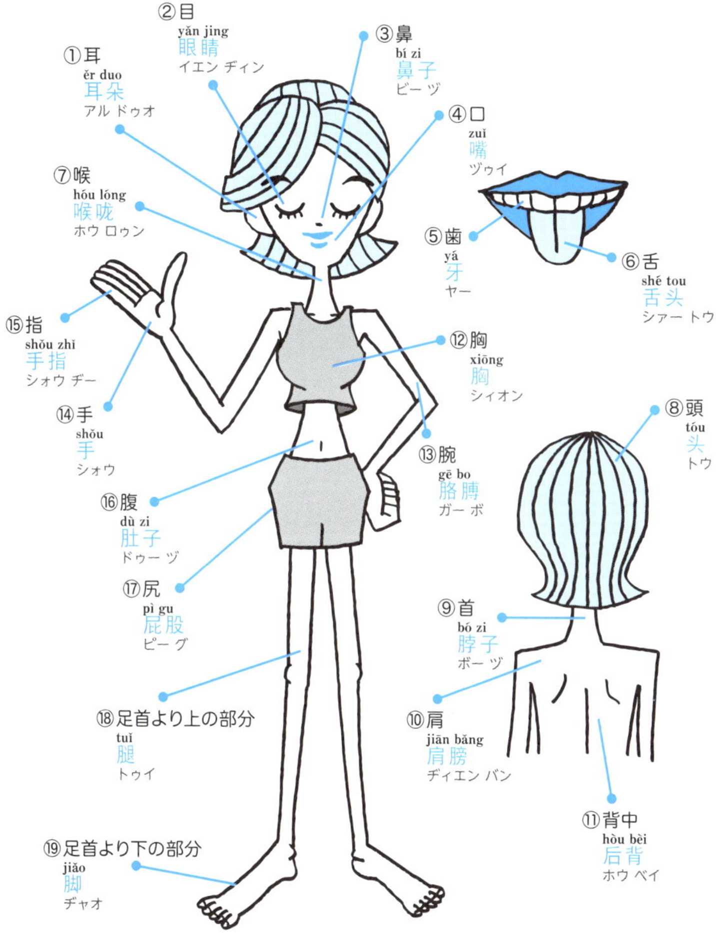
①耳
ěr duo
耳朵
アル ドゥオ
②目
yǎn jing
眼睛
イエン ディン
③鼻
bí zi
鼻子
ビー ヅ
④口
zuǐ
嘴
ヅゥイ
⑤歯
yá
牙
ヤー
⑥舌
shé tou
舌头
シァー トウ
⑦喉
hóu lóng
喉咙
ホウ ロゥン
⑧頭
tóu
头
トウ
⑨首
bó zi
脖子
ボー ヅ
⑩肩
jiān bǎng
肩膀
ヂィエン バン
⑪背中
hòu bèi
后背
ホウ ベイ
⑫胸
xiōng
胸
シィオン
⑬腕
gē bo
胳膊
ガー ボ
⑭手
shǒu
手
ショウ
⑮指
shǒu zhǐ
手指
ショウ ヂー
⑯腹
dù zi
肚子
ドゥー ヅ
⑰尻
pì gu
屁股
ピー グ
⑱足首より上の部分
tuǐ
腿
トゥイ
⑲足首より下の部分
jiǎo
脚
ヂャオ

病院で使う 定番フレーズ

CD2-24

● 気分が悪いです。	Bù shū fu 不舒服。 [ブー シュー フゥ]
● 熱があります。	Fā shāo le 发烧了。 [ファー シァオ ラ]
● 吐き気がします。	Ě xīn 恶心。 [エー シィン]
● めまいがします。	Tóu yūn 头晕。 [トウ ユン]
● 下痢をしています。	Lā dù zi 拉肚子。 [ラー ドゥー ヅ]
● 血液型は A 型です。	Xuè xíng shì A xíng 血型是 A 型。 [シュエ シィン シー エー シィン]
● 高血圧です。	Gāo xuè yā 高血压。 [ガオ シュエ ヤー]
● 持病があります。	Lǎo bìng 老病。 [ラオ ビン]
● 妊娠中です。	Huái yùn le 怀孕了。 [ホゥアイ ユン ラ]
● 日本語が話せる医者はいますか。	Yǒu huì jiǎng rì wén de yī shēng ma 有会讲日文的医生吗？ [イオウ ホゥイ ヂィアン リー ウエン ダ イー ション マ]

薬を買う

CD2-25

3 痛み止めをください。

Wǒ yào zhǐ téng piàn

我要止疼片。

[ウオ ヤオ ヂー テン ピィエン]

言い換え

この薬	zhèi zhǒng yào 这种药 [ヂェイ ヂォン ヤオ]
風邪薬	gǎn mào yào 感冒药 [ガン マオ ヤオ]
解熱剤	tuì shāo yào 退烧药 [トゥイ シァオ ヤオ]
下痢止め	zhǐ xiè yào 止泻药 [ヂー シィエ ヤオ]
炎症を抑える薬	xiāo yán yào 消炎药 [シィアオ イエン ヤオ]
酔い止め	yùn chē yào 晕车药 [ユン チャー ヤオ]
消毒液	xiāo dú yè 消毒液 [シィアオ ドゥー イエ]
塗り薬	wài yòng yào 外用药 [ワイ イヨン ヤオ]

薬の定番フレーズ

CD2-26

- 1日3回、1回1錠です。
  Yí rì sān cì　yí cì yí piàn
  一日三次，一次一片。
  [イー リー サン ツー イー ツー イー ピィエン]

- 食前に飲んでください。
  Fàn qián fú yòng
  饭前服用。
  [ファン チィエン フゥー イヨン]

- 食後に飲んでください。
  Fàn hòu fú yòng
  饭后服用。
  [ファン ホウ フゥー イヨン]

- 食間に飲んでください。
  Liǎng cān zhī jiān fú yòng
  两餐之间服用。
  [リィアン ツァン ヂー ディエン フゥー イヨン]

- 寝る前に飲んでください。
  Wǎn shang shuì jiào qián fú yòng
  晚上睡觉前服用。
  [ウアン シァン シゥイ ヂィアオ チィエン フゥー イヨン]

- 水と一緒に飲んでください。
  Yòng bái shuǐ fú yòng
  用白水服用。
  [イヨン バイ シゥイ フゥー イヨン]

- この薬は副作用がありますか。
  Zhèi yào yǒu fù zuò yòng ma
  这药有副作用吗？
  [ヂェイ ヤオ イヨウ フゥー ヅゥオ イヨン マ]

- 薬を飲んだ後、眠くなりますか。
  Chī yào hòu huì fàn kùn ma
  吃药后会犯困吗？
  [チー ヤオ ホウ ホゥイ ファン クン マ]

単語編

＼すぐに使える／

旅単語集 500

旅行のシーンごとに、役立つ単語をまとめました。使いそうな単語をあらかじめチェックしておくと便利です。困ったら、この本を見せて単語を指さしましょう

✈ » 機内・空港

CD2-27

空港	机场 jī chǎng [ヂー チャン]
フライト	航班 háng bān [ハン バン]
搭乗手続き	办理登机手续 bàn lǐ dēng jī shǒu xù [バン リー デン ヂー シォウ シュイ]
座席	座位 zuò wèi [ヅゥオ ウエイ]
窓側の席	靠窗座位 kào chuāng zuò wèi [カオ チゥアン ヅゥオ ウエイ]
通路側の席	靠过道座位 kào guò dào zuò wèi [カオ グゥオ ダオ ヅゥオ ウエイ]
出発	出发 chū fā [チゥー ファー]
到着	抵达 dǐ dá [ディー ダー]
離陸	起飞 qǐ fēi [チー フェイ]
着陸	降落 jiàng luò [ヂィアン ルオ]
出発時刻	出发时间 chū fā shí jiān [チゥー ファー シー ヂィエン]
到着時刻	抵达时间 dǐ dá shí jiān [ディー ダー シー ヂィエン]
飛行時間	飞行时间 fēi xíng shí jiān [フェイ シィン シー ヂィエン]
時差	时差 shí chā [シー チァー]
気温	气温 qì wēn [チー ウエン]
定刻	正点 zhèng diǎn [ヂェン ディエン]
名前	姓名 xìng míng [シィン ミィン]
パスポート	护照 hù zhào [ホゥ ヂャオ]
国籍	国籍 guó jí [グゥオ ヂー]
目的地	目的地 mù dì dì [ムー ディー ディー]
持ち込み禁止品	违禁品 wéi jìn pǐn [ウエイ ヂィン ピィン]

搭乗ゲート	登机口 dēng jī kǒu [デン ヂー コウ]
搭乗券	登机牌 dēng jī pái [デン ヂー パイ]
航空券	机票 jī piào [ヂー ピィアオ]
自動チェックイン機	自动检票机 zì dòng jiǎn piào jī [ヅー ドゥン ヂィエン ピィアオ ヂー]
欠航（キャンセル）	停班 tíng bān [ティン バン]
遅れ	晚点 wǎn diǎn [ウアン ディエン]
マイレージ	里程 lǐ chéng [リー チェン]
非常口	安全出口 ān quán chū kǒu [アン チュアン チゥー コウ]
乗り継ぎ	转机 zhuǎn jī [ヂゥアン ヂー]
国内線への乗り継ぎ	转乘国内航班 zhuǎn chéng guó nèi háng bān [ヂゥアン チェン グゥオ ネイ ハン バン]
国際線への乗り継ぎ	转乘国际航班 zhuǎn chéng guó jì háng bān [ヂゥアン チェン グゥオ ヂー ハン バン]
入国審査	边检 biān jiǎn [ビィエン ヂィエン]
手荷物受取所	行李提取处 xíng li tí qǔ chù [シィン リ ティー チュイ チゥー]
両替所	货币兑换处 huò bì duì huàn chù [ホゥオ ビー ドゥイ ホゥアン チゥー]
税関申告	海关申报 hǎi guān shēn bào [ハイ グゥアン シェン バオ]
税金の払い戻し	离境退税 lí jìng tuì shuì [リー ヂィン トゥイ シゥイ]
観光案内所	旅游咨询处 lǚ yóu zī xún chù [リュイ イオウ ヅー シュン チゥー]
充電コーナー	充电插座 chōng diàn chā zuò [チゥン ディエン チャー ヅゥオ]
コーヒー・軽食	咖啡・简餐 kā fēi jiǎn cān [カー フェイ ヂィエン ツァン]
バリアフリートイレ	无障碍卫生间 wú zhàng ài wèi shēng jiān [ウー ヂャン アイ ウエイ ション ヂィエン]

宿泊

●チェックイン・チェックアウト

CD2-28

ホテル	酒店 jiǔ diàn [ディウ ディエン]
予約	预订 yù dìng [ユイ ディン]
チェックイン	入住登记 rù zhù dēng jì [ルゥー ヂゥー デン ヂー]
チェックアウト	退房 tuì fáng [トゥイ ファン]
デポジット	担保费 dān bǎo fèi [ダン バオ フェイ]
シングル	单人间 dān rén jiān [ダン レン ディエン]
ツイン	双人间 shuāng rén jiān [シゥアン レン ディエン]
ダブル	双人床间 shuāng rén chuáng jiān [シゥアン レン チゥアン ディエン]
スイート	套间 tào jiān [タオ ディエン]
浴槽付き	带浴缸 dài yù gāng [ダイ ユイ ガン]
エキストラベッド	临时加床 lín shí jiā chuáng [リン シー ディア チゥアン]
喫煙	吸烟 xī yān [シー イエン]
禁煙	禁止吸烟 jìn zhǐ xī yān [ディン ヂー シー イエン]
カードキー	房卡 fáng kǎ [ファン カー]
スペル	姓名的拼音 xìng míng de pīn yīn [シィン ミィン ダ ピィン イン]
滞在延長	延长住宿 yán cháng zhù sù [イエン チャン ヂゥー スゥー]
クレジットカード	信用卡 xìn yòng kǎ [シィン イヨン カー]
領収書	发票 fā piào [ファー ピィアオ]

●設備・サービス

CD2-29

エレベーター	直梯 zhí tī [チー ティー]
フロント	服务台 fú wù tái [フウー ウー タイ]
コンシェルジュ	礼宾员 lǐ bīn yuán [リー ビン ユアン]
ポーター	行李员 xíng li yuán [シィン リ ユアン]
ドアマン	门童 mén tóng [メン トゥン]
ロビー	前厅 qián tīng [チィエン ティン]
エスカレーター	扶梯 fú tī [フウー ティー]
地下	地下 dì xià [ディー シィア]
最上階	最高层 zuì gāo céng [ヅゥイ ガオ ツェン]
バー	酒吧 jiǔ bā [ヂィウ バー]
カフェ、ティールーム	咖啡厅 kā fēi tīng [カー フェイ ティン]
レストラン	餐厅 cān tīng [ツァン ティン]
モーニングコール	叫醒服务 jiào xǐng fú wù [ヂィアオ シィン フウー ウー]
ルームサービス	客房服务 kè fáng fú wù [カー ファン フウー ウー]
ランドリーサービス	洗衣服务 xǐ yī fú wù [シー イー フウー ウー]
フィットネスジム	健身房 jiàn shēn fáng [ヂィエン シェン ファン]
エステティックサロン	美容室 měi róng shì [メイ ロゥン シー]
プール	游泳池 yóu yǒng chí [イオウ イヨン チー]
売店	礼品部 lǐ pǐn bù [リー ピィン ブー]

会議室	会议室 huì yì shì [ホゥイ イー シー]
宴会場	宴会厅 yàn huì tīng [イエン ホゥイ ティン]
ビジネスセンター	商务中心 shāng wù zhōng xīn [シァン ウー ヂォン シィン]
駐車場	停车场 tíng chē chǎng [チィン チャー チャン]
インターネット	互联网 hù lián wǎng [ホゥ リィエン ウアン]
冷蔵庫	冰箱 bīng xiāng [ビン シィアン]
自動販売機	自动售货机 zì dòng shòu huò jī [ヅー ドゥン シォウ ホゥオ ヂー]
コンセント	插销 chā xiāo [チァー シィアオ]
バスタオル	浴巾 yù jīn [ユイ ヂィン]
洗面用具	盥洗用品 guàn xǐ yòng pǐn [グゥアン シー イヨン ピィン]
シーツ	床单 chuáng dān [チゥアン ダン]
セーフティーボックス	保险箱 bǎo xiǎn xiāng [バオ シィエン シィアン]

●料理

CD2-30

北京ダック	北京烤鸭 bĕi jīng kăo yā [ベイ ディン カオ ヤー]
フカヒレスープ	鱼翅汤 yú chì tāng [ユイ チー タン]
ツバメの巣のスープ	燕窝汤 yàn wō tāng [イエン ウオ タン]
八宝菜	八宝菜 bā băo cài [バー バオ ツァイ]
上海蟹	上海大闸蟹 shàng hăi dà zhá xiè [シァン ハイ ダー ヂャー シィエ]
チンジャオロース	青椒肉丝 qīng jiāo ròu sī [チィン ディアオ ロウ スー]
豚肉のピリ辛炒め	鱼香肉丝 yú xiāng ròu sī [ユイ シィアン ロウ スー]
麻婆豆腐	麻婆豆腐 má pó dòu fu [マー ポー ドウ フゥ]
ナスの醤油煮	红烧茄子 hóng shāo qié zi [ホン シァオ チィエ ヅ]
鶏肉とナッツの炒めもの	宫爆鸡丁 gōng bào jī dīng [ゴゥン バオ ヂー ディン]
鶏肉のピリ辛炒め	辣子鸡丁 là zĭ jī dīng [ラー ヅー ヂー ディン]
角煮	红烧肉 hóng shāo ròu [ホゥン シァオ ロウ]
ホイコーロー	回锅肉 huí guō ròu [ホゥイ グゥオ ロウ]
肉まん	包子 bāo zi [バオ ヅ]
餃子	饺子 jiăo zi [ディアオ ヅ]
焼き餃子	锅贴 guō tiē [グゥオ ティエ]
ワンタン	馄饨 hún tun [ホゥン トゥン]
シュウマイ	烧麦 shāo mài [シァオ マイ]
春巻	春卷儿 chūn juănr [チゥン ヂュアル]

チャーハン	炒饭 chǎo fàn [チャオ ファン]

●具材

CD2-31

豚肉	猪肉 zhū ròu [ヂゥー ロウ]
牛肉	牛肉 niú ròu [ニィウ ロウ]
鶏肉	鸡肉 jī ròu [ヂー ロウ]
アヒルの肉	鸭肉 yā ròu [ヤー ロウ]
魚	鱼 yú [ユイ]
卵	鸡蛋 jī dàn [ヂー ダン]
白菜	白菜 bái cài [バイ ツァイ]
キャベツ	洋白菜 yáng bái cài [ヤン バイ ツァイ]
ネギ	葱 cōng [ツォン]
玉ねぎ	洋葱 yáng cōng [ヤン ツォン]
ニンニク	蒜 suàn [スゥアン]
ニラ	韭菜 jiǔ cài [ヂィウ ツァイ]
ナス	茄子 qié zi [チィエ ヅ]
ほうれん草	菠菜 bō cài [ボー ツァイ]
セロリ	芹菜 qín cài [チィン ツァイ]
トマト	西红柿 xī hóng shì [シー ホン シー]
クウシンサイ	空心菜 kōng xīn cài [クゥン シィン ツァイ]
ジャガイモ	土豆 tǔ dòu [トゥー ドウ]
ニンジン	胡萝卜 hú luó bo [ホゥ ルオ ボ]

大根	白萝卜 bái luó bo [バイ ルオ ボ]

●調理法

CD2-32

炒める	炒 chǎo [チャオ]
揚げる	炸 zhá [ヂャー]
蒸す	蒸 zhēng [ヂェン]
煮込む	炖 dùn [ドゥン]
茹でる	煮 zhǔ [ヂゥー]
ローストする	烤 kǎo [カオ]
油でいためる	煎 jiān [ヂィエン]

●調味料

CD2-33

塩	盐 yán [イエン]
砂糖	糖 táng [タン]
酢	醋 cù [ツゥー]
醤油	酱油 jiàng yóu [ヂィアン イオウ]
胡椒	胡椒 hú jiāo [ホゥ ヂィアオ]
ごま油	香油 xiāng yóu [シィアン イオウ]
ラー油	辣油 là yóu [ラー イオウ]
唐辛子	辣椒 là jiāo [ラー ヂィアオ]
豆板醤	豆瓣酱 dòu bàn jiàng [ドウ バン ヂィアン]

●味覚

CD2-34

甘い	甜 tiān [ティエン]
辛い	辣 là [ラー]
苦い	苦 kǔ [クゥー]
塩辛い	咸 xián [シィエン]
すっぱい	酸 suān [スゥアン]
あっさりした	清淡 qīng dàn [チィン ダン]
こってりした	油腻 yóu nì [イオウ ニー]
熱い	烫 tàng [タン]
冷たい	凉 liáng [リィアン]
(料理が) おいしい	好吃 hǎo chī [ハオ チー]
(飲み物が) おいしい	好喝 hǎo hē [ハオ ハー]
(料理が) まずい	难吃 nán chī [ナン チー]
(飲み物が) まずい	难喝 nán hē [ナン ハー]
まあまあ	一般 yì bān [イー バン]

●デザート・お菓子

CD2-35

ケーキ	蛋糕 dàn gāo [ダン ガオ]
ゼリー	果冻 guǒ dòng [グゥオ ドゥン]
プリン	布丁 bù dīng [ブー ディン]
アイスクリーム	冰激凌 bīng jī líng [ビン ヂ リン]
シャーベット	冰霜 bīng shuāng [ビン シゥアン]

ヨーグルト	酸奶 suān nǎi［スゥアン ナイ］
チーズ	奶酪 nǎi lào［ナイ ラオ］
チョコレート	巧克力 qiǎo kè lì［チィアオ カー リー］
ポテトチップス	炸薯片 zhá shǔ piàn［ヂャー シュー ピィエン］

●果物

CD2-36

りんご	苹果 píng guǒ［ピィン グゥオ］
みかん	橘子 jú zi［ヂュイ ヅ］
イチゴ	草莓 cǎo méi［ツァオ メイ］
ナシ	梨 lí［リー］
ブドウ	葡萄 pú tao［プゥー タオ］
桃	桃 táo［タオ］
スイカ	西瓜 xī guā［シー グゥア］
柿	柿子 shì zi［シー ヅ］
さくらんぼ	樱桃 yīng tao［イン タオ］
メロン	甜瓜 tián guā［ティエン グゥア］
パイナップル	波萝 bō luó［ボー ルオ］
バナナ	香蕉 xiāng jiāo［シィアン ヂィアオ］
マンゴー	芒果 máng guǒ［マン グゥオ］
キウイ	猕猴桃 mí hóu táo［ミー ホウ タオ］
レモン	柠檬 níng méng［ニィン メン］
オレンジ	橙子 chéng zi［チェン ヅ］

●飲み物・アルコール

CD2-37

ジャスミン茶	花茶 huā chá [ホゥア チャー]
緑茶	绿茶 lǜ chá [リュイ チャー]
ウーロン茶	乌龙茶 wū lóng chá [ウー ロゥン チャー]
紅茶	红茶 hóng chá [ホン チァー]
コーヒー	咖啡 kā fēi [カー フェイ]
ミネラルウォーター	矿泉水 kuàng quán shuǐ [クゥアン チュアン シゥイ]
コーラ	可乐 kě lè [カー ラー]
オレンジジュース	橙汁 chéng zhī [チェン ヂー]
アップルジュース	苹果汁 píng guǒ zhī [ピィン グゥオ ヂー]
トマトジュース	番茄汁 fān qié zhī [ファン チィエ ヂー]
ソフトドリンク	清凉饮料 qīng liáng yǐn liào [チィン リィアン イン リィアオ]
ビール	啤酒 pí jiǔ [ピー ディウ]
生ビール	扎啤 zhā pí [ヂャー ピィー]
白ワイン	白酒 bái jiǔ [バイ ディウ]
赤ワイン	红酒 hóng jiǔ [ホン ディウ]
ウイスキー	威士忌 wēi shì jì [ウエイ シー ヂー]
水割り	加水 jiā shuǐ [ディア シゥイ]
ロック	加冰 jiā bīng [ディア ビン]
紹興酒	绍兴酒 shào xīng jiǔ [シァオ シィン ディウ]
カクテル	鸡尾酒 jī wěi jiǔ [ヂー ウエイ ディウ]

●店舗

CD2-38

スーパー	超市 chāo shì [チャオ シー]
デパート	购物中心 gòu wù zhōng xīn [ゴウ ウー ヂォン シィン]
コンビニ	便利店 biàn lì diàn [ビィエン リー ディエン]
免税店	免税店 miǎn shuì diàn [ミィエン シゥイ ディエン]
野菜市場	菜市场 cài shì chǎng [ツァイ シー チャン]
自由市場	自由市场 zì yóu shì chǎng [ヅー イオウ シー チャン]
本屋	书店 shū diàn [シュー ディエン]
チャイナドレス専門店	旗袍店 qí páo diàn [チー パオ ディエン]
お茶の専門店	茶叶店 chá yè diàn [チァー イエ ディエン]
漢方薬局	药房 yào fáng [ヤオ ファン]

●衣類

CD2-39

婦人服	精品女装 jīng pǐn nǚ zhuāng [ヂィン ピィン ニュイ ヂゥアン]
紳士服	精品男装 jīng pǐn nán zhuāng [ヂィン ピィン ナン ヂゥアン]
子供服	儿童服装 ér tóng fú zhuāng [アル トゥン フゥー ヂゥアン]
ベビー用品	婴儿用品 yīng ér yòng pǐn [イン アル イヨン ピィン]
カジュアル服	休闲服 xiū xián fú [シィウ シィエン フウー]
チャイナドレス	旗袍 qí páo [チー パオ]
スカート	裙子 qún zi [チュン ヅ]
ミニスカート	超短裙 chāo duǎn qún [チャオ ドゥアン チュン]

ワンピース	连衣裙 lián yī qún [リィエン イー チュン]
ブラウス	罩衫 zhào shān [ヂャオ シァン]
ドレス	女礼服 nǚ lǐ fú [ニュイ リー フゥー]
セーター（ニット）	毛衣 máo yī [マオ イー]
カーディガン	开身毛衣 kāi shēn máo yī [カイ シェン マオ イー]
ズボン（パンツ）	裤子 kù zi [クゥー ヅ]
ショートパンツ	短裤 duǎn kù [ドゥアン クゥー]
アウター	外套 wài tào [ワイ タオ]
コート	大衣 dà yī [ダー イー]
ジャケット	茄克 jiā kè [ディア カー]
スーツ	西服套装 xī fú tào zhuāng [シー フゥー タオ ヂゥアン]
シャツ	衬衫 chèn shān [チェン シァン]
Tシャツ	T恤衫 T xù shān [ティー シュイ シァン]
下着	内衣 nèi yī [ネイ イー]
ブラジャー	文胸 wén xiōng [ウエン シィオン]
靴下	袜子 wà zi [ワー ヅ]

●靴・雑貨・アクセサリー

CD2-40

ハイヒール	高跟鞋 gāo gēn xié [ガオ ゲン シィエ]
ミュール	皮托 pí tuō [ピー トゥオ]
ブーツ	靴子 xuē zi [シュエ ヅ]
スニーカー	运动鞋 yùn dòng xié [ユン ドゥン シィエ]
サンダル	凉鞋 liáng xié [リィアン シィエ]
帽子	帽子 mào zi [マオ ヅ]
マフラー	围巾 wéi jīn [ウエイ ディン]
スカーフ	头巾 tóu jīn [トウ ディン]
サングラス	墨镜 mò jìng [モー ディン]
手袋	手套 shǒu tào [シォウ タオ]
財布	钱包 qián bāo [チィエン バオ]
指輪	戒指 jiè zhi [ディエ ヂ]
ネックレス	项链 xiàng liàn [シィアン リィエン]
イヤリング	耳环 ěr huán [アル ホゥアン]
ピアス	耳坠 ěr zhuì [アル ヂゥイ]
ブレスレット	手链 shǒu liàn [シォウ リィエン]
ブローチ	饰针 shì zhēn [シー ヂェン]
金	金 jīn [ディン]
ダイアモンド	钻石 zuàn shí [ヅゥアン シー]
真珠	珍珠 zhēn zhū [ヂェン ヂゥー]

●色

CD2-41

赤	红色 hóng sè [ホン スァ]
ピンク	粉红色 fěn hóng sè [フェン ホン スァ]
青	蓝色 lán sè [ラン スァ]
ネイビー（濃紺）	藏蓝 zàng lán [ヅァン ラン]
紫	紫色 zǐ sè [ヅー スァ]
グレイ	灰色 huī sè [ホゥイ スァ]
白	白色 bái sè [バイ スァ]
黒	黑色 hēi sè [ヘイ スァ]
黄色	黄色 huáng sè [ホゥアン スァ]
ベージュ	米黄色 mǐ huáng sè [ミー ホゥアン スァ]
茶色	棕色 zōng sè [ヅゥン スァ]
緑	绿色 lǜ sè [リュイ スァ]

●サイズ

CD2-42

大きい	大 dà [ダー]
小さい	小 xiǎo [シィアオ]
きつい	紧 jǐn [ヂィン]
ゆるい	肥 féi [フェイ]
長い	长 cháng [チャン]
短い	短 duǎn [ドゥアン]
ちょうどいい	正合适 zhèng hé shì [ヂェン ハー シー]

●デザイン

CD2-43

長袖	长袖 cháng xiù [チャン シィウ]
半袖	短袖 duǎn xiù [ドゥアン シィウ]
袖なし	无袖 wú xiù [ウー シィウ]
七分袖	七分袖 qī fēn xiù [チー フェン シィウ]
丸襟	圆领 yuán lǐng [ユアン リン]
四角襟	方领 fāng lǐng [ファン リン]
Vネック	尖领 jiān lǐng [ヂィエン リン]
ハイネック	高领 gāo lǐng [ガオ リン]
ボートネック	一字领 yī zì lǐng [イー ヅー リン]
蝶々型ネック	蝴蝶领 hú dié lǐng [ホゥ ディエ リン]

●素材

CD2-44

綿	绵 mián [ミィエン]
麻	麻 má [マー]
シルク	丝绸 sī chóu [スー チォウ]
ウール	羊毛 yáng máo [ヤン マオ]
カシミア	羊绒 yáng róng [ヤン ロゥン]
化学繊維	化纤 huà xiān [ホゥア シィエン]
ダウン	鸭绒 yā róng [ヤー ロゥン]
牛革	牛皮 niú pí [ニィウ ピー]
毛皮	毛皮 máo pí [マオ ピー]

●化粧品

CD2-45

香水	香水 xiāng shuǐ ［シィアン シゥイ］
化粧水	化妆水 huà zhuāng shuǐ ［ホゥア ヂゥアン シゥイ］
乳液	乳液 rǔ yè ［ルゥー イエ］
美容液	美容液 měi róng yè ［メイ ロゥン イエ］
クレンジング	洁面膏 jié miàn gāo ［ヂィエ ミィエン ガオ］
洗顔料	洗面奶 xǐ miàn nǎi ［シー ミィエン ナイ］
保湿クリーム	保湿霜 bǎo shī shuāng ［バオ シー シゥアン］
ファンデーション	粉底霜 fěn dǐ shuāng ［フェン ディー シゥアン］
チーク	腮红 sāi hóng ［サイ ホン］
アイシャドウ	眼影 yǎn yǐng ［イエン イン］
アイブロウ	眉笔 méi bǐ ［メイ ビー］
アイライナー	眼线 yǎn xiàn ［イエン シィエン］
マスカラ	睫毛膏 jié máo gāo ［ヂィエ マオ ガオ］
ビューラー	睫毛夹 jié máo jiā ［ヂィエ マオ ヂィア］
口紅	口红 kǒu hóng ［コウ ホン］
リップグロス	唇蜜 chún mì ［チゥン ミー］
リップクリーム	唇膏 chún gāo ［チゥン ガオ］
パック	面膜 miàn mó ［ミィエン モー］
マニキュア	指甲油 zhǐ jia yóu ［ヂー ヂィア イオウ］
日焼け止めクリーム	防晒霜 fáng shài shuāng ［ファン シャアイ シゥアン］

●医薬品

CD2-46

風邪薬	感冒药 gǎn mào yào [ガン マオ ヤオ]
頭痛薬	止疼药 zhǐ téng yào [チー テン ヤオ]
胃腸薬	肠胃药 cháng wèi yào [チャン ウエイ ヤオ]
睡眠薬	安眠药 ān mián yào [アン ミィエン ヤオ]
目薬	眼药 yǎn yào [イエン ヤオ]
痛み止め	止疼片 zhǐ téng piàn [チー テン ピィエン]
解熱剤	退烧药 tuì shāo yào [トゥイ シァオ ヤオ]
下痢止め	止泻药 zhǐ xiè yào [チー シィエ ヤオ]
抗炎症薬	消炎药 xiāo yán yào [シィアオ イエン ヤオ]
酔い止め	晕车药 yùn chē yào [ユン チャー ヤオ]
飲み薬	内服药 nèi fú yào [ネイ フゥー ヤオ]
塗り薬	外用药 wài yòng yào [ワイ イヨン ヤオ]
消毒液	消毒液 xiāo dú yè [シィアオ ドゥー イエ]
ビタミン剤	维生素片 wéi shēng sù piàn [ウエイ ション スゥー ピィエン]
栄養食品	营养食品 yíng yǎng shí pǐn [イン ヤン シー ピィン]
生理用品	妇女用品 fù nǚ yòng pǐn [フゥー ニュイ イヨン ピィン]
コンタクトレンズ	隐形眼镜 yǐn xíng yǎn jìng [イン シィン イエン チィン]
バンドエイド	创可贴 chuāng kě tiē [チゥアン カー ティエ]

●家電・日用品

CD2-47

家電製品	家电 jiā diàn [ディア ディエン]
パソコン	电脑 diàn nǎo [ディエン ナオ]
充電器	充电器 chōng diàn qì [チョン ディエン チー]
バッグ	皮包 pí bāo [ピィー バオ]
リュック	背包 bēi bāo [ベイ バオ]
財布	钱包 qián bāo [チィエン バオ]
キャリーバッグ	拉杆儿箱 lā gǎnr xiāng [ラー ガール シィアン]
食器	餐具 cān jù [ツァン ジュイ]
箸	筷子 kuài zi [クゥアイ ヅ]
ナイフ	刀 dāo [ダオ]
フォーク	叉子 chā zi [チァー ヅ]
スプーン	勺子 sháo zi [シァオ ヅ]
カップ	杯子 bēi zi [ベイ ヅ]
皿	盘子 pán zi [パン ヅ]
筆	毛笔 máo bǐ [マオ ビー]
封筒	信封 xìn fēng [シィン フェン]
便せん	信纸 xìn zhǐ [シィン ヂー]
万年筆	钢笔 gāng bǐ [ガン ビー]
ボールペン	圆珠笔 yuán zhū bǐ [ユアン ヂゥー ビー]

シャーペン	自动铅笔 zì dòng qiān bǐ [ヅー ドゥン チィエン ビー]
ノート	笔记本 bǐ jì běn [ビー ヂー ベン]
ハガキ	明信片 míng xìn piàn [ミィン シィン ピィエン]
ライター	打火机 dǎ huǒ jī [ダー ホゥオ ヂー]
折りたたみ傘	折叠伞 zhé dié sǎn [ヂァー ディエ サン]
マスク	口罩 kǒu zhào [コウ ヂャオ]
カイロ	暖身宝 nuǎn shēn bǎo [ヌゥアン シェン バオ]
シャンプー	洗发露 xǐ fà lù [シー ファー ルー]
リンス	发乳 fà rǔ [ファー ルー]
ハンドクリーム	擦手油 cā shǒu yóu [ツァー シォウ イオウ]
シェービングクリーム	剃须膏 tì xū gāo [ティー シュイ ガオ]
歯ブラシ	牙刷 yá shuā [ヤー シゥア]
歯磨き	牙膏 yá gāo [ヤー ガオ]
耳かき	掏耳勺 tāo ěr sháo [タオ アル シァオ]
爪切り	指甲刀 zhī jia dāo [ヂー ヂィア ダオ]
石けん	香皂 xiāng zào [シィアン ヅァオ]
ハンカチ	手帕 shǒu pà [シォウ パー]
ティッシュ	纸巾 zhǐ jīn [ヂー ヂィン]
ウェットティッシュ	湿纸巾 shī zhǐ jīn [シー ヂー ヂィン]
洗濯用洗剤	洗衣剂 xǐ yī jì [シー イー ヂー]

観光

CD2-48

●交通機関

駅	车站 chē zhàn [チャー ヂャン]
切符売り場	售票处 shòu piào chù [シォウ ピィアオ チゥー]
自動券売機	自动售票机 zì dòng shòu piào jī[ヅー ドゥン シォウ ピィアオ ヂー]
チャージ	充值 chōng zhí [チゥン ヂー]
乗り越し清算	补票 bǔ piào [ブー ピィアオ]
払い戻し	退票 tuì piào [トゥイ ピィアオ]
ホーム	站台 zhàn tái [ヂャン タイ]
車掌	售票员 shòu piào yuán [シォウ ピィアオ ユアン]
地下鉄	地铁 dì tiě [ディー ティエ]
バス	公交车 gōng jiāo chē [ゴゥン ヂィアオ チャー]
観光バス	旅游巴士 lǚ yóu bā shì [リュイ イオウ バー シー]
バス停	公交车站 gōng jiāo chē zhàn [ゴゥン ヂィアオ チャー ヂャン]
タクシー	出租车 chū zū chē [チゥー ヅゥ チャー]
ツアー	旅游团 lǚ yóu tuán [リュイ イオウ トゥアン]
一日ツアー	一日游 yí rì yóu [イー リー イオウ]
半日ツアー	半日游 bàn rì yóu [バン リー イオウ]
市内観光	市内观光 shì nèi guān guāng [シー ネイ グゥアン グゥアン]
観光ガイド	导游 dǎo yóu [ダオ イオウ]
観光スポット	观光景点 guān guāng jǐng diǎn[グゥアン グゥアン ヂィン ディエン]
市内地図	市内地图 shì nèi dì tú [シー ネイ ディー トゥー]
観光地図	导游图 dǎo yóu tú [ダオ イオウ トゥー]

●中国の都市

CD2-49

北京	北京 běi jīng [ベイ ヂィン]
天津	天津 tiān jīn [ティエン ヂィン]
上海	上海 shàng hǎi [シァン ハイ]
重慶	重庆 chóng qìng [チウン チィン]
大連	大连 dà lián [ダー リィエン]
ハルビン	哈尔滨 hā ěr bīn [ハー アル ビン]
長春	长春 cháng chūn [チャン チウン]
瀋陽	沈阳 shěn yáng [シェン ヤン]
西安	西安 xī ān [シー アン]
蘇州	苏州 sū zhōu [スゥー ヂォウ]
無錫	无锡 wú xī [ウー シー]
杭州	杭州 háng zhōu [ハン ヂォウ]
南京	南京 nán jīng [ナン ヂィン]
武漢	武汉 wǔ hàn [ウー ハン]
厦門（アモイ）	厦门 xià mén [シィア メン]
広州	广州 guǎng zhōu [グゥアン ヂォウ]
桂林	桂林 guì lín [グゥイ リン]
昆明	昆明 kūn míng [クン ミィン]
ラサ	拉萨 lā sà [ラー サー]
ウルムチ	乌鲁木齐 wū lǔ mù qí [ウー ルー ムー チー]
フホホト	呼和浩特 hū hé hào tè [ホゥ ハー ハオ タァー]

●世界遺産

CD2-50

万里の長城（北京ほか）	长城 cháng chéng [チャン チェン]
天壇（北京）	天坛 tiān tán [ティエン タン]
頤和園（北京）	颐和园 yí hé yuán [イー ハー ユアン]
北京故宮	北京故宫 běi jīng gù gōng [ベイ ディン グー ゴゥン]
蘇州古典園林（江蘇省）	苏州古典园林 sū zhōu gǔ diǎn yuán lín [スゥー ヂォウ グー ディエン ユアン リン]
秦始皇帝陵及び兵馬俑坑(陝西省)	秦始皇陵及兵马俑 qín shǐ huáng líng jí bīng mǎ yǒng [チィン シー ホゥアン リン ヂー ビン マー イヨン]
九寨溝（四川省）	九寨沟 jiǔ zhài gōu [ディウ ヂャイ ゴウ]
四川ジャイアントパンダ保護区群	四川大熊猫栖息地 sì chuān dà xióng māo qī xī dì [スー チゥアン ダー シィオン マオ チー シー ディー]
ポタラ宮（チベット自治区）	布达拉宫 bù dá lā gōng [ブー ダー ラー ゴゥン]
麗江旧市街（雲南省）	丽江古城 lì jiāng gǔ chéng [リー ディアン グー チェン]

●北京の観光スポット

CD2-51

フートン	胡同 hú tòng [ホゥ トゥン]
王府井	王府井 wáng fǔ jǐng [ウアン フゥー ディン]
雍和宮	雍和宫 yōng hé gōng [イヨン ハー ゴゥン]
景山公園	景山公园 jǐng shān gōng yuán [ディン シァン ゴゥン ユアン]
日壇公園	日坛公园 rì tán gōng yuán [リー タン ゴゥン ユアン]
月壇公園	月坛公园 yuè tán gōng yuán [ユエ タン ゴゥン ユアン]
大観園	大观园 dà guān yuán [ダー グゥアン ユアン]
鼓楼	鼓楼 gǔ lóu [グー ロウ]

●上海の観光スポット

CD2-52

ワイタン	外滩 wài tān [ワイ タン]
上海ディズニーランド	上海迪士尼度假区 shàng hǎi dí shì ní dù jià qū [シァン ハイ ディー シー ニー ドゥー ヂィア チュイ]
東方明珠塔	东方明珠 dōng fāng míng zhū [ドゥン ファン ミィン ヂゥー]
南京路	南京路 nán jīng lù [ナン ヂィン ルー]
旧フランス租界	法国租界 fǎ guó zū jiè [ファー グゥオ ヅゥ ヂィエ]

●街角の単語

CD2-53

道路	马路 mǎ lù [マー ルー]
信号	红绿灯 hóng lǜ dēng [ホン リュイ デン]
横断歩道	人行横道 rén xíng héng dào [レン シィン ヘン ダオ]
歩道橋	天桥 tiān qiáo [ティエン チィアオ]
地下鉄の駅	地铁站 dì tiě zhàn [ディー ティエ ヂャン]
公園	公园 gōng yuán [ゴゥン ユアン]

●両替・お金

CD2-54

銀行	银行 yín háng [イン ハン]
紙幣	纸币 zhǐ bì [チー ビー]
コイン	硬币 yìng bì [イン ビー]
小銭	零钱 líng qián [リン チィエン]
両替	货币兑换 huò bì duì huàn [ホゥオ ビー ドゥイ ホゥアン]
人民元	人民币 rén mín bì [レン ミィン ビー]
日本円	日元 rì yuán [リー ユアン]
香港ドル	港币 gǎng bì [ガン ビー]
台湾ドル	台币 tái bì [タイ ビー]
米ドル	美元 měi yuán [メイ ユアン]

»トラブル

CD2-55

●緊急事態

盗難	盗窃 dào qiè [ダオ チィエ]
ひったくり	抢夺 qiǎng duó [チィアン ドゥオ]
泥棒	小偷 xiǎo tōu [シィアオ トウ]
詐欺	诈骗 zhà piàn [ヂャー ピィエン]
紛失	遗失 yí shī [イー シー]
迷子	迷路 mí lù [ミー ルー]
転倒	摔倒 shuāi dǎo [シゥアイ ダオ]
怪我	受伤 shòu shāng [シォウ シァン]
貴重品	贵重物品 guì zhòng wù pǐn [グゥイ ヂォン ウー ピィン]
クレジットカードの無効措置	信用卡挂失 xìn yòng kǎ guà shī [シィン イヨン カー グゥア シー]
交通事故	车祸 chē huò [チャー ホゥオ]
救急車	救护车 jiù hù chē [ヂィウ ホゥ チャー]
医療保険	医疗保险 yī liáo bǎo xiǎn [イー リィアオ バオ シィエン]
傷害保険	意外保险 yì wài bǎo xiǎn [イー ワイ バオ シィエン]
保険会社	保险公司 bǎo xiǎn gōng sī [バオ シィエン ゴゥン スー]
旅行会社	旅行社 lǚ xíng shè [リュイ シィン シァー]
警察	警察 jǐng chá [ヂィン チャー]
大使館	大使馆 dà shǐ guǎn [ダー シー グゥアン]
領事館	领事馆 lǐng shì guǎn [リン シー グゥアン]

●病気と怪我

CD2-56

風邪	感冒 gǎn mào [ガン マオ]
インフルエンザ	流感 liú gǎn [リウ ガン]
頭痛	头疼 tóu téng [トウ テン]
腹痛	肚子疼 dù zi téng [ドゥー ヅ テン]
歯痛	牙疼 yá téng [ヤー テン]
咳	咳嗽 ké sou [カー ソウ]
骨折	骨折 gǔ zhé [グー ヂァー]
鼻水	流鼻涕 liú bí ti [リウ ビー ティ]
発熱	发烧 fā shāo [ファー シァオ]
目まい	头晕 tóu yūn [トウ ユン]
吐き気	恶心 ě xin [エー シィン]
食中毒	食物中毒 shí wù zhòng dú [シー ウー ヂォン ドゥー]
下痢	拉肚子 lā dù zi [ラー ドゥー ヅ]
便秘	便秘 biàn mì [ビィエン ミー]
発疹	发疹 fā zhěn [ファー ヂェン]
虫さされ	被虫子咬 bèi chóng zi yǎo [ベイ チゥン ヅ ヤオ]
貧血	贫血 pín xuè [ピィン シュエ]
出血	流血 liú xuè [リウ シュエ]

●病院・治療

CD2-57

病院	医院 yī yuàn [イー ユアン]
内科	内科 nèi kē [ネイ カー]
外科	外科 wài kē [ワイ カー]
歯科	牙科 yá kē [ヤー カー]
眼科	眼科 yǎn kē [イエン カー]
産婦人科	妇产科 fù chǎn kē [フウー チャン カー]
小児科	小儿科 xiǎo ér kē [シィアオ アル カー]
注射を打つ	打针 dǎ zhēn [ダー チェン]
点滴を打つ	打点滴 dǎ diǎn dī [ダー ディエン ディー]
薬を飲む	吃药 chī yào [チー ヤオ]
血液型	血型 xuè xíng [シュエ シィン]
血圧	血压 xuè yā [シュエ ヤー]
高血圧	高血压 gāo xuè yā [ガオ シュエ ヤー]
低血圧	低血压 dī xuè yā [ディー シュエ ヤー]

さくいん

「場面別会話編」の日本語の単語さくいんです。日本語の単語から中国語の単語を引くのに利用してください。

●著者紹介

王 丹　Wang Dan

北京生まれ。1984年、北京第二外国語学院日本語科卒業。1992年、大分大学大学院経済学科修士課程修了。1995年よりNHK報道局「チャイナ・ナウ」番組の直属通訳、NHKスペシャル、衛星ハイビジョン特集番組、「アジア・ナウ」番組の通訳を経て、2001年4月より日本大学理工学部非常勤講師、国士舘大学非常勤講師。主な著書：『新ゼロからスタート　中国語　文法編』、『ゼロからスタート　中国語　文法応用編』、『ゼロからスタート　中国語単語 BASIC 1400』、『すぐに使える　中国語会話超ミニフレーズ300』、『すぐに使える 接客中国語会話大特訓』（Jリサーチ出版）など。

カバーデザイン	滝デザイン事務所
本文デザイン／DTP	株式会社秀文社
カバーイラスト	福田哲史
本文イラスト	田中斉
編集協力	Paper Dragon LLC
CD録音・編集	財団法人　英語教育協議会（ELEC）
CD制作	高速録音株式会社

本書へのご意見・ご感想は下記URLまでお寄せください。
http://www.jresearch.co.jp/contact/

twitter公式アカウント：@Jresearch_
https://twitter.com/Jresearch_

単語でカンタン！ 旅行中国語会話［改訂版］

平成29年（2017年）6月10日　初版第1刷発行

著　者　王丹
発行人　福田富与
発行所　有限会社　Jリサーチ出版
〒166-0002 東京都杉並区高円寺北2-29-14-705
電　話　03(6808)8801(代)　FAX 03(5364)5310
編集部　03(6808)8806
http://www.jresearch.co.jp
印刷所　株式会社 シナノ パブリッシング プレス

ISBN978-4-86392-347-8　禁無断転載。なお、乱丁・落丁はお取り替えいたします。